W9-CHX-626

УНИКАЛЬНАЯ
БИОГРАФИЯ
женщины-эпохи

ЖИЗНЬ, РАССКАЗАННАЯ ЕЮ САМОЙ

ЯУЗА-ПРЕСС
МОСКВА
2013

УДК 82-94
ББК 84(2Рос)6-4
В 41

Оформление серии *С. Курбатова*

Вивьен Ли. Жизнь, рассказанная ею самой / М. : Яуза-пресс,
В 41 2013. – 256 с. – (Уникальная биография женщины-эпохи).

ISBN 978-5-9955-0465-8

Вивьен Ли начала записывать воспоминания о своей жизни в клинике, куда попала после окончательного разрыва с Лоренсом Оливье, – брак с великим актером закончился для звезды «Унесенных ветром» не просто разводом, а личной катастрофой. От черной депрессии и мыслей о самоубийстве не спасали ни алкоголь, ни лекарства, ни электрошок – никто бы не узнал былую Скарлетт О'Хара в этой почерневшей от горя женщине, которая во время жесточайших приступов твердила лишь: «За что?!» За что он разбил ей сердце и довел до сумасшедшего дома? Почему не радовался успехам жены, а завидовал ее громкой славе? Как мог предать и бросить, едва узнав о ее неизлечимой болезни? Ведь Вивьен любила Лоренса больше жизни, пожертвовала ради него всем, даже дочерью от первого брака, – а он не только превратил ее дом в ад, но еще и ославил в своих скандальных мемуарах, представив психопаткой и алкоголичкой.

Она обязана была ответить. Она должна была объясниться – даже не с ним, а с самой собой, чтобы вновь поверить в себя и свой дар, избавиться от самоуничижения и чувства вины.

Эта книга – исповедь невероятно сильной и талантливой женщины, которая прошла через все круги семейного ада, вырвалась из черной ямы безумия, буквально восстала из пепла, научившись, подобно Скарлетт, не оглядываться назад и не сожалеть о былом, а говорить себе: «Я подумаю об этом завтра!»

УДК 82-94
ББК 84(2Рос)6-4

ISBN 978-5-9955-0465-8

© Павлищева Н., 2013
© ООО «Яуза-пресс», 2013

У меня был выбор. Быть либо актрисой, либо женой Ларри. И если бы я решила остаться просто женой Ларри, я уверена, что была бы замужем до сих пор.

Вивьен Ли.
Интервью. 1967 г.

ВЫРВАТЬСЯ ЛЮБОЙ ЦЕНОЙ

Ларри, у моей постели на столике букет цветов, но не от тебя. Почему, дорогой? Как ты объяснишь свое отсутствие рядом со мной, если нет гастролей вдали от Лондона?

Зато в палате три медсестры, три огромные грубые тетки, готовые в любой момент наброситься и, ломая кости, прижать к полу, чтобы сделать очередной укол наркотика или снотворного. Ничего удивительного – я в госпитале для психически больных доктора Фрейденберга.

Ты, именно ты, можешь объяснить, зачем меня затолкали сюда в бессознательном состоянии?

Хорошо, что проснулась под утро и не стала сразу вскакивать, а сначала некоторое время лежала, пытаясь сообразить, где я и что произошло. А еще хорошо, что одна из трех громил в белых халатах – та самая медсестра, что гонялась за мной со

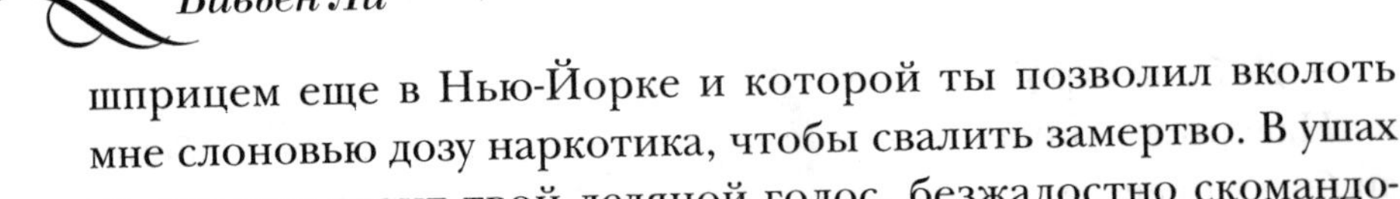

шприцем еще в Нью-Йорке и которой ты позволил вколоть мне слоновью дозу наркотика, чтобы свалить замертво. В ушах до сих пор стоит твой ледяной голос, безжалостно скомандовавший: «Еще укол!» Ларри, тебе не повезло – хрупкая Вивьен оказалась на удивление живучей.

Может, я и ошибаюсь, тетка была совсем другой, они все друг на друга похожи – руки, как у мужчин-грузчиков, стати великанш, видно, иначе с буйными пациентками не справиться. Только, Ларри, я могу вовсе не быть буйной, меня достаточно до этого не доводить.

От вида громилы в белом халате я едва не закричала и снова зажмурилась. Лежала, затаив дыхание и пытаясь сообразить, как можно спастись. На мое счастье, все три медсестры не обращали на меня внимания, они дремали. Прислушавшись к ровному дыханию надсмотрщиц, осторожно приоткрыла глаза и сделала попытку понять, где нахожусь. Белая стена, такая же белая дверь... Понятно, больница. А если осторожно перевести взгляд в другую сторону, то видны решетки на окнах... Тоже понятно – это не просто больница, а психбольница.

По твоей милости я уже знала, что это такое и что меня ожидает.

Оставалось придумать, как обмануть врачей или хотя бы убедить, что не стоит еще раз подвергать меня лечению электрошоком. Знаешь, чего я боялась больше всего? Что утром появишься ты и снова настоишь на применении этого изуверского метода, как сделал уже однажды.

К утру я не только вспомнила все, что предшествовало моему пребыванию в этой больнице, но и выработала линию поведения. Чтобы отсюда выбраться без настоящей потери разума, я буду послушной, ласковой, вежливой, разумной, не буду сопротивляться, иначе мне снова вколют снотворного столько, что может свалить слона.

– Доброе утро! Где это я?

Наверное, увидев живую Медузу-горгону, тетки остолбенели бы меньше, чем услышав мой бодренький голос. Им нельзя дать опомниться, потому я затарахтела дальше:

– Это больница? А как я сюда попала? Хочу есть, пить и... простите, а где здесь туалет?

– Т-там...

– Я могу пройти? Меня не привязали? Не стоит опасаться, приступ прошел, а когда у меня нет приступа, я не кусаюсь и не плюю ядом.

Какое счастье, что я актриса, хотя играть радостное оживление от пробуждения в психиатрической клинике, если там уже побывала, очень трудно даже актрисе!

Конечно, дверь не закрывалась, вернее, в таких местах двери даже в туалет нет вообще. Ларри, ты никогда не лежал в заведениях, где нет дверей в туалет, а если есть, то стеклянные и без занавесок и ширм? Пациенты должны быть все время на виду, а уж такие «страшные», как я, вообще под присмотром трех пар глаз, словно я могла по кирпичику разнести всю больницу.

В этих палатах нет зеркал, видимо, чтобы больные не перебили их, испугавшись собственного отражения.

– Вы не могли бы дать хотя бы маленькое зеркальце и расческу? Что-то подсказывает, что мне нужно привести в порядок свою внешность.

Тетки в нерешительности переглянулись, но с места не двинулись. Это что, запрет?

– Пожалуйста. Женщина, тем более актриса, должна выглядеть хорошо даже в больнице.

Слово «такой» добавлять не стала, чтобы не обидеть служительниц кошмарного заведения. Я полностью зависела от их доброжелательности, от того, захочется им или нет помочь несчастной Вивьен Ли.

Навстречу пошли, одна вынула из кармана пудреницу, а вторая отправилась куда-то в коридор за расческой, а заодно сообщить, что пациентка очнулась и чего-то требует.

Хорошо, что пудреница мала и в нее почти ничего не видно, потому что серое лицо с синяками под ввалившимися глазами, заостренный нос и узкая ниточка бесцветных губ производили впечатление скорее трупа, чем живого человека. Есть такое выражение: краше в гроб кладут. Это обо мне.

Разглядеть всклокоченные волосы не успела, хотя на всякий случай быстро их пригладила. По коридору к двери послышались торопливые шаги, и в палате появился доктор Фрейденберг.

Я была готова слушаться, проявлять чудеса доброжелательности, но не вполне готова делать это немедленно. Пришлось собрать всю волю в кулак, потому что мне предстояло выдержать поединок с врачом, от которого зависело, буду ли я жить вообще. Если сумею убедить, что я в порядке, применять электрошок или другую подобную гадость не станут, а если нет, то...

Не будем думать о плохом...

– Доктор, где мой супруг сэр Лоуренс Оливье?

Фрейденберг был явно смущен:

– Он... я не знаю, миссис Оливье.

– Мисс Вивьен Ли, пожалуйста, мы договорились с Ларри, что я оставлю свое имя. Так где он?

– Он... если появится необходимость, я смогу сообщить ему...

– Думаю, не стоит, пусть сэр Лоуренс отдыхает. Сколько дней я здесь и кто еще знает о моем пребывании?

– Мы никому не сообщали, – пробормотал доктор, игнорируя вопрос о сроке. Ясно, значит, давно. То, что не сообщали, очень плохо, в таком случае меня можно держать здесь до

бесконечности. Нужно срочно придумать, как вынудить их позвать хоть кого-то.

– Я чувствую себя хорошо, ничего не болит, покусать никого не хочется... Я могла бы покинуть ваше замечательное заведение?

– О, нет-нет!

– Почему? Я не сумасшедшая и вполне здорова. – Я старалась не дать ему вставить слово. – Что я должна сделать или сказать, чтобы вы убедились, что это так? Сосчитать пуговицы на вашем халате? Повторить всю таблицу умножения задом наперед? Прочитать сонет Шекспира? Скажите какой, я прочту.

– Вы помните, что произошло и как вы сюда прибыли?

Наши глаза встретились, я выдержала его внимательный, испытующий взгляд и солгала:

– Нет. Но это неважно. Я знаю, что приступ прошел и со мной все в порядке. Я подпишу любые чеки на оплату лечения и отправлюсь домой в «Нотли».

Он понял, что я лгу, и понял, что вижу его понимание.

– Боюсь, это невозможно.

– Почему? Или сэр Лоуренс снова дал разрешение на применение электрошока? В этом нет необходимости, я полагаю, вы не возьмете на себя ответственность за применение зверского метода к той, которой он вовсе не нужен.

– Почему вы проснулись?

– А я должна была умереть? Как-то не случилось... Я жива, а потому хочу привести себя в порядок и отправиться домой. Я вам благодарна за выведение меня из приступа и обещаю щадить себя и не перетруждаться, чтобы не возник новый. Доктор, поверьте, все случилось из-за слишком тяжелых съемок на Цейлоне, мне нельзя было туда ехать из-за моего туберкулеза...

– Из-за чего?!

Похоже, он не знал о туберкулезе.

— У меня туберкулез, а что это меняет?

Снова смущение:

— Нет, ничего... Хотя меняет. Вам понижали температуру тела, обкладывая льдом. Очевидно, этого не стоило делать, если легкие больны.

— Сэр Лоуренс знал?

— Да, но он не сказал о ваших легких.

Я едва сдержалась, чтобы не закричать: «Еще бы!» Но говорить этого нельзя...

— Полагаю, сэр Лоуренс был слишком взволнован моим приступом. Пусть сэр Лоуренс отдыхает, позвоните, пожалуйста, моей матери миссис Гертруде Хартли или моему первому супругу мистеру Ли Холману. Его телефон нетрудно найти в справочнике, Ли юрист. Как видите, меня есть кому забрать из больницы и без сэра Лоуренса.

— Хорошо, мы поговорим об этом завтра.

— Сегодня, доктор, прошу вас.

— Я попробую связаться с теми, о ком вы говорили.

— Доктор, от вас пахнет розовой водой.

Вот этого говорить не стоило, мало ли что он подумает.

Но, похоже, Фрейденберга заботило другое. Позже я поняла, что именно, — я действительно должна была бы проснуться еще не скоро, очень не скоро.

Потекли невыносимо длинные, тревожные дни.

Меня накормили, помогли вымыться, хотя разве можно назвать мытьем скромный душ вприглядку? Это невыносимо — даже туалет совершать под присмотром, боясь сделать резкое движение или сказать лишнее слово, чтобы не восприняли как свидетельство помешательства, не иметь возможности кому-то позвонить, не иметь никакой надежды выбраться из этого ужаса, а еще бояться нового приступа. В ожидании следующего

визита доктора мне пришлось собрать всю свою волю в кулак, улыбаться медсестрам как можно лучезарней и вести себя как можно тише.

Я очень боялась сорваться, боялась заснуть, прекрасно понимая, что в это время могут вколоть что угодно, боялась, что начну сопротивляться и снова получу сеанс электрошока.

Знаешь, что именно помогло мне выдержать? Сначала животный страх перед электрошоком, потом желание увидеть Сюзанну. Потом надежда просто доказать, что я не сумасшедшая, выбраться оттуда, преодолеть все, доказать, что я могу играть, и Шекспира тоже! Заяви я, что хочу играть шекспировских персонажей, это никого не удивило бы, полагаю, там не только Джульетт и Офелий, но и самих Шекспиров в соседних палатах полным-полно. Передо мной стояла просто невыполнимая задача – находясь после тяжелого приступа в психиатрической лечебнице, доказать, что я не сумасшедшая, что меня можно и нужно выпустить, не подвергая никакому лечению.

Сейчас, вспоминая эти дни, пусть их было не очень много, я понимаю, что вполне могла сдаться, я страшно устала бороться, я была одна – любимый человек меня предал, родители не интересовались, друзей ко мне не пускали...

Ларри, одиночество где-нибудь в собственном доме, даже в лачуге, это одно, одиночество в психиатрической лечебнице – совсем иное. Наверное, это самый страшный вид одиночества, оно безнадежное. Даже самой с собой поговорить нельзя! Под запретом любые эмоции – радость, слезы, даже страх, но не потому, что там бездушные люди, просто любая яркая эмоция вызовет подозрение в обострении болезни, даже если самой болезни нет.

Но и безразличие тоже подозрительно. Вот тогда возникает отчаяние, и очень трудно не запустить чем-нибудь во что-нибудь или в кого-нибудь. Остается только лежать, отвернувшись

к стене и жалея себя. Я понимала, что это прямой путь к деградации, но постепенно стало почти все равно. Если я никому не нужна, что можно поделать? К чему вообще такая жизнь?

Если у меня действительно маниакально-депрессивный психоз, как ты доказывал всем, то мне самое место вот в такой больнице или где-то в подобном месте. Я солгала доктору, что не помню, как попала в больницу, конечно, все помню.

Сорвала съемки «Слоновьей тропы», приняв Питера Финча за тебя, у меня случилось несколько приступов один за другим. Можно сколько угодно кричать, что это из-за невыносимых условий на Цейлоне, от усталости и обиды, из-за постоянных унижений, но суть неизменна — я в психушке и попала сюда принудительно из-за того, что оказывала яростное сопротивление медсестрам и врачам. Весь мир знает, что я психически ненормальна! Но это означает, что никто больше не захочет связываться со мной ни в театре, ни в кино. И тебе, Ларри, я тоже не нужна, иначе ты был бы рядом, а ты старательно меня избегаешь.

И родители сбежали. Никого, кто мог бы прийти на помощь, просто поговорить. Одна...

Ларри, желаю тебе никогда в жизни не испытать такого страшного одиночества. А ведь ты псих ничуть не меньший, чем я, только я прячу все свои обиды и эмоции внутри (когда их становится слишком много, они выплескиваются приступом), а ты срываешься на окружающих, прежде всего на мне.

Если я не смогу работать, как прежде, не смогу быть радушной хозяйкой большого гостеприимного дома, не смогу ничего дать своей дочери, не смогу играть, то к чему выбираться из этой палаты? Может, лучше смириться, так всем удобней, не нужно изображать заботу о бедной Вивьен, ты сможешь оформить развод и снова жениться, ставить шекспировские пьесы

и играть все главные роли в театре, беря в партнерши тех, кто не составит тебе конкуренцию в борьбе за симпатии зрителей...

Черт его знает, Ларри, может, я и смирилась бы. В том состоянии, в котором я была, все еще оглушенная наркотиками, безнадежностью, ощущением покинутости, ненужная, нелюбимая, нежеланная... я не хотела даже бороться. Кто я? Чучело, страшилище, уродина! И это та, что совсем недавно славилась своей красотой, за которую даже упрекали.

Маниакально-депрессивный психоз! Я читала об этой болезни. Конечно, можно возразить, что ею страдают многие актеры, художники, вообще те, кто занят творчеством ежедневно, но это не оправдание. Они же не кидаются на пол с рычанием и не кусают медсестер, пытающихся сделать укол. То, что укол не нужен и даже вреден, не в счет, главным было сопротивление и нежелание подпускать к себе кого-то. Медперсонал в таком случае не церемонится, я знаю.

Ну и кто я после этого?

Это я уверена, что мне нужно всего лишь твое присутствие, твое одобрение, твоя любовь, другим этого не докажешь. Чтоб из-за недостатка любви рычать и кусаться? Глупости! Слоновья доза снотворного или наркотиков – и пусть спит! Откажет печень? Тем лучше. Свихнется окончательно? Ничего, есть электрошок.

Хороша перспектива? Я прошла через это, Ларри. С твоей помощью, дорогой.

Мне должен бы помочь ты, ведь мои срывы в большой степени твоя «заслуга».

А помогла...

Я привычно дремала – бездумно, безрадостно, безнадежно в ожидании непонятно чего. И вдруг...

Запах роз был настолько явственным, что заставил обернуться. На столике рядом с кроватью стоял красивый букет

в красивой вазе! Это он источал такой божественный аромат. На лице невольно появилась улыбка, я люблю розы, ты помнишь. Хотя сейчас это неважно – помнишь или нет.

А рядом с букетом лежала пудреница, стояли духи и еще коекакие мелочи.

Я изумленно разглядывала сокровища и вдруг заметила женщину в белом халате у двери. Она улыбалась:

– Вам пора просыпаться по-настоящему. В душе повесили большое зеркало. Только осторожно...

Сказала и исчезла за дверью.

Кто она и откуда знает, что я люблю именно «Кристиана Диора»?

Я попеременно нюхала то розы, то духи до одурения, пока не чихнула. Поплелась в душ, поразившись тому, что в дверном проеме занавеска, которой раньше не было. Знак доверия? На полочке душистое мыло... И зеркало...

М-м-м... Еще неизвестно, что лучше – иметь это зеркало на стене или не иметь. Пока его не было, я хотя бы не вполне представляла, во что превратилась.

Где Скарлетт, где леди Гамильтон, Клеопатра... где просто Вивьен Ли, которую столько ругали за внешность, считая красоту помехой талантливой игре?! В зеркале отразилось настоящее чучело с безобразно отросшими волосами, всклокоченное, бледно-зеленое, искореженное... с синими кругами, сеткой морщин вокруг глаз и на лбу. Но ужасней всего сами глаза – в них боль и страх. И вот этот страх вполне можно принять за безумие.

Попытка улыбнуться положение только ухудшила. Сама улыбка вышла кривоватой, а выражение глаз не изменилось. Я едва не зажмурилась от ужаса. До чего же меня довели, если страх поселился столь прочно!

Да, Фрейденберг прав – выпускать вот этакое за пределы клиники нельзя, снова упекут куда-нибудь. Сумасшедшая... Господи, что же мне кололи, если я пришла в такое состояние?! Если честно, болело все – внутренности, кости, особенно голова и легкие. Каждый вдох давался с трудом. Неудивительно, человека с туберкулезом обкладывали льдом! Хорошо хоть надсадного кашля с кровью нет.

Мелькнула дурацкая мысль: может, начать кашлять, чтобы они, испугавшись, отправили меня в больницу для легочных больных, оттуда выбраться будет легче. Нет, не отправят... наоборот, запрут в палате насовсем и еду будут просовывать в окошко в двери, как заключенной.

Что бы ни было дальше, в тот момент у меня была возможность нормально вымыться и не воспользоваться ею глупо.

«Я не буду думать об этом сегодня. Я подумаю об этом завтра...»

Дверь в палату тихонько распахнулась, и на пороге показалась та самая женщина, вместе с которой появился букет роз.

Я уже никому и ничему не верила. В психушке не бывает подарков, там только меры. Внутри все сжалось, за роскошь дышать ароматом роз и вымыться хорошим мылом нужно платить. Я знала, чем именно расплачиваются в таких больницах, а потому накатила волна настоящего ужаса. Сейчас следом за ней войдут громилы, подхватят под локотки и потащат на электрошок! Любое сопротивление только добавит еще один сеанс.

Внутри росли отчаяние и паника, еще мгновение, и я бы сорвалась, забившись в угол кровати и истошно крича. Новый приступ готов начаться. Остановил его спокойный, приветливый голос:

– Вымылись? Так гораздо приятней, правда?

Ларри, достаточно вот этого – чьего-то приветливого спокойствия, чтобы внутри все начало оседать, дышать становилось легче, а биение пульса в висках перестало заглушать остальные звуки. Почему ты не мог поступить так же – произнести несколько слов спокойным, ласковым тоном?

– Да...

– Я Марион, помощница доктора Фрейденберга. Букет и духи прислал ваш друг Ноэль Кауард. Вы любите «Диора»?

– Да, спасибо.

Я старалась дышать глубже, чтобы успокоиться поскорей. Марион, видно, поняла, снова улыбнулась:

– Открыть окно? Здесь душно. Только возьмите одеяло, чтобы не простыть. Так хорошо?

И все равно я не верила в эту доброжелательность, только кивнула. Наверное, со стороны я выглядела затравленным зверьком, готовым кусаться и царапаться.

– Ваших родителей нет в Лондоне.

– А мистер Ли Холман?

– Его вызвали. Но прежде я хочу поговорить с вами.

Начинается! Я снова напряглась, как струна, готовая лопнуть от малейшего прикосновения.

– Вивьен, вы позволите мне называть вас так? Вивьен, доктор Фрейденберг считает, что у вас не маниакально-депрессивный психоз, вернее, если это и он, то лишь начальная стадия. Скорее это синдром эмоционального выгорания, хроническое нервное истощение. Доктор пока только начинает исследовать такое состояние и причины его появления.

– Какая разница?

– Нет необратимых изменений личности. Это просто способ защиты мозга от перегрузок, чрезмерных требований к человеку, ощущения необъективной оценки ваших заслуг, слишком большой критики и тому подобного. Когда груз становится невыносимым, мозг реагирует очередным приступом. Такое состояние испытывает подавляющее большинство людей, особенно вашей профессии, но многие умеют сбрасывать тяжесть, например, алкоголем, гневом или даже исполнением ролей, в которых возможна демонстрация отрицательных эмоций. Я посмотрела ваши фильмы, список ваших ролей, отзывы о вас. У вас нет такого выхода, потому организм, к тому же ослабленный борьбой с туберкулезом и другими проблемами, находит иной выход.

Я слушала ее, буквально раскрыв рот. Все, что говорила доктор Марион, верно.

– Что из этого следует? Выход есть?

– Есть. Сначала подлечить нервы. А потом я расскажу вам, как научиться справляться со своими эмоциями, как сбрасывать лишний груз. Но вы должны научиться видеть этот груз.

– Нервы лечить здесь?

– Думаю, нет. Конечно, ваш супруг хотел бы, чтобы вы оставались в нашей клинике как можно дольше, вы должны были проснуться еще очень не скоро. Сейчас я больше ничего не буду вам говорить, достаточно услышанного. Скоро встретимся снова. А пока попытайтесь вспомнить свою жизнь с тех самых пор, когда у вас впервые случился приступ, и понять, после чего это происходит.

После ее ухода я долго стояла перед зеркалом, изучая не столько свое отражение, сколько выражение глаз. Вымытые волосы больше не торчали в разные стороны безобразными космами, но синяки под глазами никуда не исчезли, морщины тоже. Брови заросли, а уж о руках и говорить нечего, недели две без маникюра, остатки лака, обломанные ногти... Ужас!

И все-таки у меня был выбор. Вернуться на свою кровать, лечь и лежать, бездумно уставившись в потолок или стену, по-

степенно отвыкая от самой способности думать, или попытаться бороться за себя. Только как и зачем? Я заперта в палате и при малейшей попытке бунта буду связана, напичкана наркотиками или, хуже того, подвергнута электрошоку. Ко мне никого не пускают, дорогой муж явно удрал куда-то, чтобы не брать ответственность на себя, остальные либо сбежали тоже, либо просто ничего не знают.

А в глазах страх... животный, безумный... и это самое ужасное.

На следующий день Марион помогла мне перебраться в отдельную палату больницы Юниверсити-колледжа. Меня никто не имел права держать у доктора Фрейденберга, не объявив сумасшедшей официально, но никаких показаний для такого диагноза не было.

Ларри, кажется, я впервые за столько лет радовалась тому, что тебя нет рядом! Ужасно? Но я прекрасно понимаю, что ты дал бы согласие за меня, у меня в ушах до сих пор стоит твой ледяной голос, командующий медсестре: «Еще укол!» Никогда не забуду... «Еще укол!», когда ты прекрасно знал, что доза снотворного и без того сильно превышена и следующая может стать смертельной. Тебе было проще убить меня, чем лечить, Ларри?

Сэр Лоуренс Оливье, я еще предъявлю вам моральный счет за вред, нанесенный здоровью, но это позже. Сейчас мне категорически запрещено разговаривать с тобой иначе как ласково. Кем запрещено? Доктором Марион и мной самой.

В палате нормальные условия и телефон у кровати. Первыми последовали вызовы секретарши, косметолога и маникюрши. Прежде чем показаться кому-то, нужно привести себя в порядок.

Все всё понимают и старательно делают вид, что ничегошеньки не произошло. Кажется, будто я только вчера вернулась с Цейлона, где воевала со слонами, разрушавшими имение героев фильма, а потому у меня столь всклокоченный и потрепанный вид. И никаких напоминаний о моих приступах на Цейлоне и в Голливуде, о безобразной расправе, устроенной надо мной по дороге в Лондон, о днях, проведенных в клинике доктора Фрейденберга. Но главное, ни слова о тебе, словно рядом и не должен находиться мой супруг Лоуренс Оливье, словно это не он приказал накачать меня наркотиками до умопомрачения, чтобы, как бревно, доставить из Голливуда в Лондон, не он определил в эту клинику и дал согласие на обкладывание льдом, зная о туберкулезе.

Я их понимаю, мало кто рискнет выступить против Лоуренса Оливье в защиту его сумасшедшей (теперь-то в этом уверены все!) жены. Были приступы? Были. Врачи вынуждены применять силу? Да. Кто же теперь не пожалеет Ларри?

Самое хрупкое у человека – это твердая уверенность в себе. Как бы мне удержаться и не рассыпать ее мелкими осколками вокруг самой себя? Тогда исчезнет стержень, опираясь на который я намерена выбраться из кошмарной ситуации. Вокруг столько воодушевленных лиц, но глаза по-прежнему прячут все.

Как пройти по тоненькой жердочке, нет, даже ниточке, натянутой над пропастью непонимания, недоверия и неверия в мое нормальное психическое состояние? Как доказать, что я вполне способна не только выбраться из больницы, не только жить, но и не впадать больше в состояние этого самого выгорания? Никогда больше ко мне не будут относиться по-прежнему, клеймо психически больной не исчезнет, и всю оставшуюся жизнь мне предстоит доказывать, что это случайность, что я могу держать себя в руках, что не только не опасна

для окружающих, но и способна быть прежней, играть на сцене и в кино.

Почти невозможная задача, особенно сейчас, пока я в клинике и после страшного приступа. А ведь достаточно было просто отвезти меня с Цейлона сразу в Лондон и несколько дней позволить отлежаться дома в «Нотли». А еще лучше не отправлять в жуткие условия съемок в самый разгар жаркого и влажного сезона туда, где и здоровому-то тяжело. Но Ларри предпочел деньги, а еще явно был рад, что не поехал сам и избавился от меня на некоторое время. Сначала все шло по его плану, а потом вдруг слишком перекосилось. В результате я в Англии в больнице с репутацией свихнувшейся, а мой дорогой супруг отдыхает где-то в Италии.

Ничего, по крайней мере, ясна если не вся ситуация, то моя задача. Во всем можно найти свои плюсы, после шага в пропасть хотя бы направление движения становится определенным. Так вот моя задача – это самое направление изменить! Невозможно? Но другого-то не дано, внизу пропасть... терять нечего, а попробовать стоит, вдруг летать умеют не одни птицы?

Господи, в какую философию потянуло! Только бы не прочел кто-то из медперсонала – безо всякого Ларри вернут к Фрейденбергу в палату к философам. Удивительно, когда у человека есть все и даже больше, он просто живет, а когда остается узенькая полоска света в окошке, вдруг начинает философствовать. Неужели, чтобы понять собственную жизнь, нужно оказаться в больнице с зарешеченными окнами и медперсоналом, обученным скручивать в узел самых сильных и буйных пациентов?

Если так, то, Ларри, тебе не помешало бы хоть недолго пообщаться с доктором Фрейденбергом и его персоналом. В твоей жизни и психике перекосов не меньше, чем в моей, про-

сто ты умеешь выдавать их за гениальность и сам справляться со своими комплексами. Тебе эмоциональное выгорание не грозит, нечему выгорать, ты выплескиваешь эмоции либо на окружающих, либо в ролях, либо на меня. А еще умеешь подчинять своей воле, я почувствовала это с первой минуты встречи и подчинилась с восторгом. Пожинаю плоды...

Но, ей-богу, я ни о чем не жалею! Даже о том, что только что с твоей помощью побывала в психушке. Это тоже опыт, а любой опыт полезен, по крайней мере, я попытаюсь разобраться в себе, а если смогу, то и в тебе. Зная, что собой представляешь и на что можно рассчитывать, легче двигаться дальше.

Нет, меня не зря затолкали в клинику к доктору Фрейденбергу, там мне самое место, но этого я никому не скажу. Нормальные люди просто живут, а не пытаются подвести основу под свои расстройства рассудка и не разрабатывают теорий выхода из синдрома эмоционального выгорания (они в него просто не попадают).

А я вообще-то тем занимаюсь? Нужно посоветоваться с Марион.

Марион сказала, что первым условием моего «освобождения» должен стать анализ того, когда начинаются приступы и, самое главное, – в результате чего. Нужно вспомнить предшествующие не просто дни и события, а ощущения и... обиды. Только вспоминать осторожно, чтобы снова не свалиться в приступ. Она научила «останавливать» мозг, когда улавливаются первые признаки приближающегося приступа. Пока получается, я уже несколько раз справлялась.

Но главное – анализ причин.

Для этого я пишу письма, которые никогда не будут отправлены и прочитаны кем-либо, кроме меня самой.

Марион попросила подробно вспомнить детство, свои детские и юношеские обиды и трудности и... рассказать об этом тебе, Ларри. Почему тебе? Но я послушная пациентка (если мне не колоть принудительно наркотик – не сопротивляюсь), а потому выполняю ее просьбу.

Итак, Ларри, читай то, что, возможно, тебе и без того известно. Нет, не так, Марион сказала, что я должна словно рассказывать тебе все, мысленно формулируя и твои возражения тоже. Словно сравнивать себя и тебя. Странный способ лечения, но я попытаюсь.

Я родилась в Индии во вполне состоятельной и тогда еще дружной семье.

Ларри, зная твою обидчивость, сразу оговариваю: я ни в малейшей степени не стремлюсь подчеркнуть разницу между своей и твоей семьей, своим и твоим детством и юностью. Я помню, насколько тяжелыми были они у тебя, преклоняюсь перед тем, что тебе удалось, имея столь трудные условия для старта. Много раз тебе об этом говорила и могу повторить еще не единожды.

Ты безумно самолюбив, а потому все, что касается хотя бы малейшей ущербности в чем-то по отношению к тебе самому, произносить вслух опасно, можно вызвать бурю негативных эмоций. Зря, потому что твои успехи выглядят куда более ценными на фоне трудностей, которые ты испытал в жизни, а достижения более яркими, если вспоминать об усилиях, на них затраченных. Поверь, победа, дающаяся очень легко, ценится меньше, чем та, что завоевана, по праву заслужена трудом. Что легко дается – легко теряется, а то, что ты не получил, а заслужил, остается с тобой.

Вернемся к моему детству.

Индию я помню плохо, но не потому, что память слаба, просто детство до шести лет проходило в весьма ограниченном пространстве, собственно, саму Индию я не видела, никому не пришло бы в голову отпускать ребенка куда-то за пределы дома, своего или чужого – неважно. Свой большой дом в Калькутте, соседский еще больше, клуб – такое могло быть где угодно, не только в Индии.

Мама вовсе не стремилась познакомить меня с местными обычаями или языком. Зачем? В Англию, и только в Англию! Мне даже обожаемую аму (кормилицу) из местных быстро заменили гувернанткой-англичанкой. Мама умела настоять на своем, она вообще очень волевая и практичная. Миссис Гертруда Хартли и в Англии нашла свое место, ее «Салон красоты» процветает, многие косметологи хотели бы поучиться у моей мамы.

А вот для отца Калькутта была предпочтительней, подозреваю, что он был бы не против остаться там, отправив некогда любимую супругу в Лондон одну. Но куда Эрнесту Хартли до Гертруды Хартли! Мама хитрей, для начала она отправила в Англию меня.

– Что делать девочке-англичанке в Калькутте?! Не за горами то время, когда ей придется выходить замуж. За кого?!

Отец мог бы возразить на сей риторический вопрос, что мама нашла себе супруга даже в Калькутте, но он молчал. Вернее, возражал только по поводу моего возраста. Однако возраст – вещь изменчивая, тот, кто еще вчера был слишком мал или молод, как-то очень быстро становится достаточно взрослым и даже слишком зрелым. Удивительно, но с годами эта тенденция существенно ускоряется, ты не находишь? В детстве время тянется, в молодости спешит, а потом начинает нестись вскачь. И это несправедливо, потому что оно начинает торо-

питься именно тогда, когда ты уже что-то понимаешь, чему-то научен, чего-то стоишь.

Когда мне исполнилось шесть, мама решила, что ждать ей надоело, и повезла меня в Рохемптон в монастырскую школу.

Я помню, Ларри, что тебе было куда труднее, потому что семья практически нищенствовала. Однажды, когда я сожалела об отставке любимой кормилицы, ты взорвался:

– У меня не было не только кормилицы, но и самого молока! Что за проблемы – заменили одну служанку другой?! Проблема, если ты голоден изо дня в день.

И все же в нашем детстве есть нечто общее: спектакли. Нет, не возможность ходить в театр, а желание участвовать в представлениях. Я понимаю, что ты снова возразишь: я играла в любительских спектаклях детей из богатеньких семейств, для которых костюмы шились специально и даже изготавливались декорации, а ты разыгрывал выдумки перед своей мамой. Но страсть к лицедейству не знает имущественных границ.

Знаешь, самым первым семейным воспоминанием о моих выступлениях была память об отказе во время премьеры петь, как положено по роли:

– Я не хочу петь, я буду декламировать!

Хорошо, что декламация четырехлетней нахалке удалась, не то позор был бы велик.

Мой отец был достаточно известен в театральных кругах Калькутты, правда, как актер-любитель, но очень талантливый. Он не перенес бы позора дочери. Шучу, конечно, утешил бы самозванку, но этого не понадобилось, дитя Эрнеста Хартли не слишком смущалось на сцене.

Было и отличие в нашем детстве, связанное вовсе не с состоятельностью или бедностью: пусть не слишком благополучная, пусть почти нищая, но у тебя была сама семья. У меня ее с шести лет не было.

Нет, мои родители никуда не делись, не развелись, не стали жить отдельно, но они оставили меня в монастырской школе Рохемптона. Мама сумела убедить даже матушку Эштон Кейз, директрису школы, что я вполне гожусь для исключительно строгого воспитания в этом заведении. Я пыталась умолить отца не оставлять меня у чужих и так далеко от дома, цеплялась за него (вот это отчаяние я помню), обиделась за то, что он не пошел против воли мамы, долго не могла простить...

С этого времени у меня не было родительской семьи, только своя собственная с Ли Холманом и с тобой. Мне даже учиться быть хорошей женой не у кого. Конечно, в монастырских школах (сначала одной, потом других) нас многому научили, но куда предпочтительней домашний опыт. Иногда я думаю, насколько это неправильно – обучать детей в отрыве от дома. Возможно, на мальчиков это влияет меньше, они должны быть мужественными, но девочек уродует наверняка.

Умение вести хозяйство, шить, вышивать, гладить или готовить – это еще не все, это, так сказать, техническая сторона дела, ей научиться проще всего, если не умеешь, можно поручить слугам. Совсем иное дело – взаимоотношения в семье, между мужчиной и женщиной, к детям, даже к гостям. Моя мама подала мне дурной пример, определив в далекую от дома школу в столь раннем возрасте. Позже я не увидела ничего катастрофического в том, чтобы оставить собственную дочь, уйдя из дома.

Нет-нет, я ни в коем случае не обвиняю маму, но, не получив в детстве опыта жизни с мамой, я лишила таковой и свою дочь. Конечно, это стоило мне немало слез и переживаний, но, как бы ни было ужасно, между Сюзанной и тобой, Ларри, я выбрала тебя. И только благодаря Ли и моей маме отношения с дочерью постепенно наладились, хотя подозреваю, что она никогда не простит мне такого выбора.

Монастырские школы приучили к жесткой дисциплине, к порядку во всем, к тому, что требовать чего-то особенного недопустимо.

Я знаю, Ларри, ты убеждаешь всех, что твоя жена капризна, не знает отказа ни в чем, не знает слова «нет», мол, все для меня, любая прихоть выполнима. Я молчу, хотя это вовсе не так. Ты сам мог бы вспомнить что-то, что выглядело бы невыполнимым капризом, но вопреки здравому смыслу и возможностям было выполнено, потому что я этого пожелала? Будь честен, дорогой, я желаю только то, что ты можешь выполнить либо готов сделать. Букет цветов – каприз? Или просьба к гостям курить только определенные сигареты, потому что дым других вызывает у меня кашель?

Ты знаешь более послушную женщину, готовую даже видеться с собственным ребенком тайно, поскольку это не нравится любовнику, актрису, готовую отказаться от любой роли, потому что роль неугодна мужу, жену, готовую, несмотря на больные легкие, превратить сырой каменный мешок в очаровательное гнездышко, потому что серая, мрачная громада «Нотли» понравилась супругу в качестве будущего дома?

Я готова всегда и на все, Ларри, единственная вольность, которую я позволила себе, – добиваться роли Скарлетт (хотя ты не был против!) и играть на сцене по-своему. Я не виновата, что мой подход нравится критикам и зрителям больше твоего. Но об этом потом.

Я послушная, возможно, слишком послушная жена, женщина, мать, актриса. И сейчас постепенно начинаю понимать, что твоя первая супруга Джилл была права, предупреждая, что это послушание до добра не доведет, что в отношениях с тобой одинаково губительны и сопротивление, и подчинение. Первое грозит разрывом, второе – потерей собственного «я».

Господи, только бы не сорваться снова! Еще раз мне из клиники Фрейденберга не выбраться.

Марион больше не будет рядом, ей не простили моего бегства из психиатрической лечебницы и пришлось вернуться в Америку, это первое. Второе – приехал Ларри! Впервые я боюсь своего мужа. Какой уж тут разговор по душам, если меня просто парализует страх. А страх – это приступ.

Нет, я справлюсь, обязательно справлюсь! Марион вчера беседовала со мной несколько часов, все наставляла и наставляла, советовала, учила, обещала звонить как можно чаще. Я знаю, что она рискует собственной карьерой, но пока справиться без ее помощи не могу. Господи, так хорошо начиналось!

Доктор права, ее отсутствие нужно воспринимать как очередное испытание для меня, с которым я обязательно должна справиться. Так и будет. Главное – не поддаться страху и не дать ни малейшего повода втянуть меня в приступ. Я буду спокойна, даже холодна, я буду непробиваема, недосягаема, не... что бы там еще написать про «не»? Ладно, я просто справлюсь.

Ларри – шелковый, ведет себя так, словно и впрямь сознает свою вину в моем пребывании у Фрейденберга. Значит, виноват.

Букет на столике рядом с кроватью теперь от него, рядом гордо красуется карточка: «Любимой жене. Ларри». Примирение? Я молчу о приступе, он тоже, словно ничего и не было.

Пора домой, потому что больничные стены даже в клинике Юниверсити-колледжа давят, больница есть больница. В «Нотли» у меня есть своя комната, свои книги, туда придут мои друзья, я буду слушать свою любимую музыку. Я уже лежала запертой в «Нотли» целых четыре месяца, когда Ларри впервые

испугался моей болезни – туберкулеза. Смешно вспомнить, тогда он боялся подойти к кровати, ведь туберкулез заразен. Пришлось сказать, что я не люблю его, чтобы дать повод не целовать даже в щеку.

Хочу домой и как можно скорее. Только не хочу, чтобы отвозил Ларри, почему-то страшно, вдруг он снова отправит к Фрейденбергу. Глупость, конечно, но страшно. Нет, лучше позвонить Кауарду. Ноэль друг, он всегда выручит и не боится заразиться от меня ни туберкулезом, ни безумием. Особенно вторым.

Я ДОМА, ЧТО ДАЛЬШЕ?

Как же хорошо дома! Даже в собственной спальне, где знаком не просто каждый уголок, но каждый дюйм, вдруг открывается столько нового.

Под надуманным предлогом, что мне нужно больше спать и просто читать, я удалила Ларри, стоит отметить, что дорогой супруг подчинился не без облегчения. Это дает мне возможность взяться за свои записи, не боясь, что их кто-то увидит. Ларри не слишком настаивает на частом общении, а остальные нос в мои дела не суют. Прекрасно, я могу доделать то, что начала под руководством доктора Марион. Перед отъездом она дала мне вопросник, по которому я должна описать свою жизнь, стараясь не обманывать саму себя, даже если это не слишком приятно.

Быть честной с самой собой тяжело, даже труднее, чем с другими. Ложь другим можно оправдать, а как оправдаться перед собой? Интересная тема, над этим стоит подумать.

Кажется, что оправдать саму себя проще всего, в душе мы же все знаем, что хорошие, а если и поступили недостойно, то

просто так случилось, мы вовсе не хотели совершать подлость, на это нашлись тысячи причин... Даже если думать не о подлости или откровенных ошибках, а просто о каждодневном поведении, все равно найдется тысяча и одна причина оправдать себя.

Это хорошо и плохо одновременно, Марион права. Если себя только корить за ошибки, жизнь покажется немилой уже через пару дней, но если только оправдывать, то можно докатиться до такой низости... Где золотая середина? Не о ней ли толкуют те, кто наставляет нас в самом начале жизненного пути?

Что-то я занялась философией. Самое время после выхода из психбольницы!

Пересмотрела свои предыдущие записи и поняла, что для больной с маниакально-депрессивным психозом я, пожалуй, излишне логична и даже насмешлива. А для синдрома эмоционального выгорания слишком оптимистична. Это признак выздоровления? Тогда я на верном пути. Правильно доктор советовала мне побольше шутить над собой и над тобой.

Она ошибается только в одном: над собой шутить можно, а вот над тобой опасно, особенно в том, что касается твоего творчества и положения короля английской сцены, шутка может плохо закончиться. Но я буду шутить вслух над собой, а в записях над нами обоими.

У меня получается! Сегодня в «Нотли» приезжал на обед Дэвид Нивен, он в Лондоне по делам. О!.. бедолага Дэвид не знал, куда прятать глаза. Ведь это он помогал выманить меня из гримерной, когда начался приступ в Голливуде.

— Дэвид, дорогой, не смотри так, словно ты продал меня в рабство на галеры и тридцать сребреников прожгли дыру в твоем кармане. Я выкарабкалась, больше не опасна, меня на-

учили держать себя в руках. У меня одна просьба: пожалуйста, расскажи мне все, что ты помнишь, без утайки. Мне нужно знать.

– Не стоит, Вив.

– Дэвид, я всегда считала тебя другом, потому и согласилась впустить в гримерную в ту кошмарную минуту. Мне нужно увидеть все со стороны. Понимаешь, я должна понять разницу между своим и сторонним восприятием моего поведения. К тому же я обидела многих людей, нужно извиниться. Ты должен мне помочь.

– Это не опасно?

– Дорогой, я больше не кусаюсь и кричать «Помогите!» тоже не буду, обещаю это. Давай поговорим, пока не вернулся Ларри. И снотворного в твоем кофе нет.

Это даже доставляет удовольствие – видеть, как заливается краской стыда Дэвид Нивен, обычно играющий английских аристократов – строгих, чопорных, с неизменной бабочкой и цветком в петлице. Моя рука легла на его руку:

– Не переживай, я понимаю, что ты хотел как лучше.

– Вив, действительно нужно было срочно что-то делать, пока не пронюхали репортеры.

– Дэвид, еще раз повторяю: я не обижаюсь, просто прошу рассказать все подробно, мне нужно перед многими извиниться. Помоги понять, перед кем.

Пока он рассказывал, я действительно проверяла свою память. Нет, ничего нового, я все помнила правильно. Это еще раз подтверждает, что никакого маниакального психоза нет, просто нервный срыв. Но как объяснить это остальным?

– Ты так спокойно слушаешь, Вив...

– Я все это помню. Более того, могу рассказать, что происходило после того, как мой дорогой защитник заснул, выпив половину моей дозы снотворного.

– Мне так стыдно перед тобой.

– Не переживай, ты действительно хотел как лучше.

– Как тебе удалось не заснуть?

– Я выплюнула таблетки в бассейн.

После ухода Нивена я долго вспоминала сами события, хотелось извиниться перед каждым, кому доставила неудобства своим срывом, и никого при этом не пропустить.

Опасно после совсем недавнего выхода из психиатрической больницы вот так откровенно вспоминать предшествующие события, но другого выхода у меня не было. Рассказ Дэвида подтвердил, что я вела себя отвратительно и многим была неприятна, следовательно, пора извиняться, иначе меня действительно сочтут сумасшедшей.

Что ж, попробую «разложить по полочкам» все события и понять, можно ли было удержаться, избежать приступа.

Нет, еще раз с самого начала жизнь вспоминать сейчас не буду, иначе не хватит времени и запала, чтобы быстро дойти до приступа. Ограничимся съемками на Цейлоне и событиями в Голливуде. Остальное потом.

Предыдущий сезон выдался неимоверно изнурительным, к осени я едва держалась на ногах, не радовали ни второй «Оскар», ни признание моей Клеопатры в спектаклях на Бродвее лучшими, ни признание лучшей актрисой 1951 года в Каннах, ни избрание в Национальный фонд искусства США... Зато «добила» гадкая травля Тайнена. Нас много и часто критиковали, я приемлю критику, но только не такую, когда мерзавец делает себе имя на плевке в сторону тех, кто для него недостижим. «Не укушу, так плюну».

Не буду о Тайнене, иначе снова сорвусь, он гадок в своем стремлении облить грязью все, что касается меня, но ведь до-

стается и Ларри, только он почему-то молчит. Хотя я прекрасно понимаю, почему. Тайнен убеждает всех, что в нашей паре всегда выделяют меня не потому, что я играю хорошо, не потому, что стараюсь отдать роли все, что могу, в конце концов, не за внешность, а потому, что Ларри сознательно уступает мне первенство, снижая собственный накал игры! Мол, признанный гений играет вполсилы, чтобы его жену не освистали.

Это мерзость, потому что настоящий актер просто не может играть вполсилы, тогда он не актер. Но Ларри молчит, я понимаю, дурость Тайнена оправдывает неуспех Оливье.

Ладно, об этом позже...

Ужасно, но в конце сезона выяснилось, что денег у нас просто нет, что было заработано в Голливуде, ушло на театральные постановки в «Сент-Джеймсе», где все спектакли Оливье, кроме двух «Клеопатр» (Шекспира и Шоу), принесли лишь убытки, и немалые. Я не виню в этом Ларри, художник имеет право на убытки, нельзя ставить только коммерчески успешные спектакли, иначе будет не искусство игры, а искусство делания денег.

Кроме того, Ларри внес немалую сумму, чтобы иметь возможность экранизировать «Трехгрошовую оперу», где ему предстояло играть Мэкхита. Заманчиво, хотя и рискованно, потому что ставить Брехта должен Питер Брук, режиссер скорее оперный, в кинематографе малоизвестный, но явно талантливый. Работать с ним Ларри интересно, он загорелся идеей не просто сыграть, но и спеть самому, был полон творческого энтузиазма. Обидно, что для меня роли в постановке не нашлось, разве я не смогла бы играть Дженни Малину или Люси Браун? Но Ларри все объяснил моей усталостью и опасениями за мое здоровье.

Однако это не помешало немедленно согласиться на съемки в «Слоновьей тропе» у Дитерле. Я, не раздумывая, дала согласие, ведь играть пригласили вдвоем с Ларри! Вообще сценарий

был ужасным – глупая мелодрама о жизни плантаторов на Цейлоне. Как обычно, женитьба богача на скромнице, природные катастрофы, любовные метания и понимание, что, несмотря ни на что, героиня любит своего мужа.

Ирвинг Фишер, конечно, рассчитывал, что зрителей привлечет просто сочетание наших имен. На вопрос к Ларри, стоит ли соглашаться, муж, не задумываясь, ответил:

– Конечно, дорогая, ведь нам так нужны деньги.

Мне бы обратить внимание на его заминку после вопроса, дал ли согласие он сам, но я так верила Ларри.

Ларри согласие не дал, мотивируя отказ занятостью в «Трехгрошовой опере». Но разве за неделю до того он об этой занятости не догадывался? У меня контракт был уже подписан, оставалось выполнять. Это просто нечестно – меня загнать в третьесортный фильм, а самому играть Брехта! Мало того, Ларри с насмешкой говорил Алексу Корде, что я ввязалась в затхлую мелодраму и попыталась вовлечь туда его. Но сам Оливье с его прозорливостью и чувством стиля, конечно, не мог согласиться на столь ничтожную роль в ничтожном фильме и потому категорически отказался.

Я обиделась, и только чувство гордости не позволило разрыдаться. Ларри не хочет сниматься вместе со мной в фильмах, теперь явно будет избегать и театральные постановки? А как же тогда пара короля и королевы английской сцены? Или я ему не нужна в качестве составляющей этой пары?

Тогда я об этом старалась не думать, но простить такого унижения и подложенной свиньи не смогла – предложила на главную мужскую роль в фильме Питера Финча. Питера привез из Австралии сам Ларри, познакомившись, когда мы были там на гастролях. Я не знаю, зачем моему супругу был нужен Питер, хотя согласна, что он талантлив, приятен в общении и похож на самого Ларри.

Питер посчитал своим долгом ухаживать за мной. Все прекрасно знают, насколько я привязана к своему мужу, потому дурацкие намеки Ларри, что я воспользовалась съемками фильма, чтобы закрутить роман с его протеже, были особенно оскорбительны. Состоялся неприятный разговор.

– Ларри, я расторгну договор с Эшером, чего бы это ни стоило!

– Ты с ума сошла, у нас и без того долги!

– Я не желаю ни сниматься в пустой мелодраме, ни выслушивать гадкие намеки на мой роман с Финчем. Это оскорбительно. Ты прекрасно знаешь, что я согласилась, только надеясь на работу вместе с тобой.

– Но не могу же я бросить Брехта, чтобы играть нелепую роль в нелепом фильме?

– Тогда и я откажусь от своей. Найди мне роль в «Трехгрошовой опере».

– Чтобы снова сказали, что я тебя проталкиваю? Достаточно Тайнена с его обвинениями.

Это было уже совсем нечестно, я разрыдалась. За съемки я получала гонорар в 150 000 долларов, тебе Эшер предложил 200 000 долларов. Почему бы и тебе не пожертвовать ролью Мэкхита, чтобы заработать вместе со мной?

Кроме того, Эшера не зря беспокоил твой отказ от съемок, он словно предчувствовал беду.

– Ларри, а выдержит ли Вивьен несколько месяцев на Цейлоне без тебя? Там очень тяжелые условия.

Ларри был полон оптимизма:

– Ей только полезно вернуться почти к истокам, ведь Вивьен родилась в Индии. К тому же рядом Питер Финч, Питер обещал опекать Вивьен.

Мне бы тогда обеспокоиться из-за твоего подчеркнутого согласия с заменой себя на Финча, но я была слишком обижена.

Питер так Питер, может, это заставит тебя хоть чуть ревновать свою жену?

Зря надеялась, теперь я понимаю, что это было сделано намеренно.

Итак, нас ждала разная работа – меня душные джунгли Цейлона и третьесортная картина, тебя – творческие съемки в «Трехгрошовой опере». Ларри, кстати, а где она, ваша «Опера нищих»? Про-ва-ли-лась! С треском! Чему я сейчас даже рада. Так тебе и нужно, хотя денег жалко. Заметь, мне жаль не тебя, а потраченные впустую последние сбережения.

Ларри, к чему тебе петь, неужели мало просто спектаклей и фильмов? Захотелось обрести еще и певческую славу? Знаешь, любая подлость в жизни наказуема, а то, что ты сделал со мной, – подлость, вот тебе и наказание – провал «Трехгрошовой оперы».

Удивительно, но злорадство, даже тайное, доставляет несомненное удовольствие. Понимаю, что это нехорошо, недостойно – злорадствовать из-за чьей-то неудачи, но не испытывать от этого удовольствие не могу.

Ладно, отвлечемся от Брука и твоего певческого эксперимента и вернемся к «Слоновьей тропе». Что заставило известного режиссера Дитерле взяться за такой хлам? Наверное, тоже деньги, хотя фильм обещал стать зрелищным, одна сцена разрушения слоновьим стадом особняка героев чего стоит! Конечно, слоны ученые, а особняк картонный, но все равно впечатляет.

Не учли только одного: Эшер оказался прав, в душных условиях Цейлона сниматься не просто тяжело, а невыносимо. Дышать нечем, ночной звериный рев из джунглей наводил ужас на всех, казалось, слоны действительно растопчут наш лагерь, спать невозможно, а от тебя ни звонка, ни письма.

– Питер, где может быть Ларри? Неужели с ним что-то случилось?!

– Вив, ну что ты, Ларри в Париже, у него дела...

Финч добр, внимателен, то и дело подчеркивал, что ты поручил меня ему, а потому мы постоянно должны быть вместе. Я неудачно пошутила про ночную пору, мол, до какой степени всегда? Питер принял это как приглашение к действию и стал обхаживать меня активней. Это было ужасное время, одиночество давило просто физически, неужели трудно просто написать на открытке несколько строк и прислать? Мои отчаянные письма к тебе с мольбой о хоть какой-то весточке остались лежать в «Нотли» нераспечатанными, потому что тебя не было дома (вчера я их сожгла, не распечатывая, чтобы снова не окунуться в то состояние тоски, от которой хотелось взвыть). Постепенно я начала заговариваться...

Не знаю, что произошло, просто не помню, приходится полагаться на рассказы того же Финча (можно ли им верить?). Якобы я принялась называть его Ларри и ластиться, как кошечка, а перед Дитерле разыгрывать женщину-вамп, которой по плечу соблазнить любого мужчину.

Если это так, то ужасно, нужно было срочно прервать съемки и отправить меня домой в Лондон. Недавно я позвонила Дитерле, прося прощения за срыв съемок и свое безобразное поведение и спрашивая: почему он не отправил меня в Англию или не вызвал тебя?

Ларри, Дитерле ответил, что тебя вызывал! Ты прилетел, убедился, что я принимаю Финча за тебя, и... спокойно улетел обратно!

Ревность? Ярость из-за измены? Ларри, но ты же видел, что я невменяема! Ты, и только ты, должен был немедленно на медицинском самолете увезти меня в Лондон, пусть даже поместив при этом в больницу к доктору Фрейденбергу. Почему ты

оставил меня пропадать там, на Цейлоне, среди совершенно чужих людей?! Если был оскорблен настолько, что не желал со мной возиться, вызвал бы маму, она справилась бы сама, но ни в коем случае не бросила бы меня одну!

Но ты даже маме не сообщил, вообще никому в Англии не сказал ни слова, просто уехал отдыхать в Италию на виллу к Уолтону. Ларри, ты мог меня ненавидеть, быть до смерти оскорблен моим поведением с Финчем, кстати, с нами на Цейлоне была его жена Тамар, она мне очень помогла, но даже в такой ситуации разве не бесчеловечно бросить меня на чужих людей?

Знаешь, дорогой, на что это все похоже? На подстроенную ловушку! Ведь это ты «подсунул» мне Финча, видя интерес Питера ко мне и зная, что я отношусь к нему хорошо, понимал, что сорвусь, не выдержав тяжелых условий съемок. Да, все складывалось в твою пользу – если я сорвусь, то сумасшедшей место в больнице, если дотерплю до конца, то принесу неплохую прибыль фирме, но обязательно подорву остатки здоровья. А уж о Финче и говорить не стоит, даже в присутствии Тамар он способен ухаживать за мной, а получив «наказ» супруга опекать, и вовсе расстарался.

Я не оправдываюсь даже своим помрачением, наверное, это очень обидно – увидеть, что твоя жена принимает за тебя другого. Но просто по-человечески разве не нужно было попытаться спасти меня, доставив в клинику?

Тебе удалось почти все, кроме одного – я не подохла и с помощью Тамар даже добралась до Голливуда. Дитерле решил, что натурных съемок достаточно, если что и не так, то повторят в павильоне, и мы перебрались в Голливуд. Я начала приходить в себя, по просьбе Дитерле даже дала интервью Лу Парсонз, чтобы затихли слухи о серьезной болезни.

Выжив и не свихнувшись в джунглях Цейлона окончательно, я нарушила твои планы, Ларри? Наверное. Ты решил меня

добить. Что сделал бы другой на твоем месте? Прилетел в Голливуд и поговорил, в конце концов, просто позвонил или написал. Мой муж поступил иначе!

Услышав, что ты открыто обсуждаешь с друзьями намерение развестись, я впала в ступор. Ларри, ты мог просто бросить меня на Цейлоне, мог больше не видеться, выгнать из «Нотли», мог даже развестись, но только не так, не за моей спиной! Я рыдала двое суток, а когда все-таки пришлось выйти на площадку для съемок, могла произнести только твое имя: «Ларри!» Мне казалось, что если ты приедешь, то все сразу поймешь, ты поймешь, что не было никакой измены, что я не могла во вменяемом состоянии обнимать Финча вместо тебя, что мне нужен обычный отдых. Даже если бы ты после этого меня бросил, обвинив в чем угодно, Ларри, ты должен был просто из человеколюбия сначала попытаться спасти!

А потом из чьих-то уст за моей спиной прозвучало: «Ее надо срочно в психушку!» И я в ужасе сбежала в свою гримерку, понимая, что меня могут схватить и потащить в больницу силой. Начался страшный приступ, который можно успокоить ласковой беседой, что и сделал срочно вызванный Дэвид Нивен. Ему я поверила и из гримерной вышла.

Но все это ненадолго, почти сразу мне сообщили о том, что сняли с роли и заменили Элизабет Тейлор. Одна в пустом доме я билась в истерике:

– Ларри, где ты? Ларри, спаси меня!

Пыталась звонить тебе, но телефон молчал. Мысленно умоляла не бросать меня, не отдавать чужим жестоким людям. Я допустила одну ошибку: нужно было позвать жену Финча, она относилась ко мне хорошо и помогла бы успокоиться, но я не знала их телефон, а телефоны остальных знакомых не отвечали.

Я боялась всех и никого не пускала в дом, если вспомнить последующие события, можно согласиться, что бояться стои-

ло. С тобой связаться невозможно, вокруг чужие, враждебные мне люди, готовые отправить в психушку, просто убить... Я оказалась словно в роли Бланш из фильма «Трамвай «Желание».

Но Джону Букмастеру я просто бросилась навстречу:

– Ты привел Ларри?!

Ты помнишь, что это он нас познакомил?

Джон развел руками:

– Нет, Вив, но я прислан высшими силами, чтобы охранять тебя, пока не прибудет Ларри.

Это было спасением, Джону я могла поверить, хотя и говорили, что он сумасшедший. Знаешь, лучше общаться с вот таким добрым сумасшедшим, чем с нормальными медиками из бригады медицинской помощи психам, которые никаких доводов не слушают, полагая, что с теми, у кого не все в порядке с головой, разговаривать не стоит.

Если бы нам с Букмастером позволили тихо дождаться твоего приезда, все бы обошлось. Джон, несмотря ни на что, сумел меня успокоить. Мы мирно сидели и вспоминали прежние годы и съемки, это было настоящим бальзамом на измученную душу, я почувствовала, что приступ проходит, еще немного, и я забуду весь кошмар. Но нас в покое не оставили, посреди ночи в дом просто вломились Нивен и Стюарт Грейнджер и вышвырнули бедного Джо вон, а за меня взялись иначе.

Сегодня я отправила Грейнджеру письмо с извинениями, но тебе могу признаться (вернее, себе, тебе никогда этого не скажу!), что не прощу ему совершенной по отношению ко мне подлости. Он приготовил кофе и яичницу, добавив туда почти смертельную дозу снотворного. Что-то заставило меня насторожиться, потому что сам Стюарт не взял в рот ни крошки, не сделал и глотка. А вот Дэвид Нивен, видимо, не знавший о снотворном, присоединился к моей трапезе и... заснул немедленно! А если бы я съела и выпила все одна?

Я поняла, что опасность весьма серьезная, но сопротивляться нельзя, потому тоже съела, хоть и не все, но сумела вызвать рвоту и испортить бассейн в доме Стивена Трейси, где все происходило.

Как я умоляла Грейнджера не принимать больше никаких мер!

– Стюарт, я прошу просто позволить побыть в тишине, все пройдет само собой, уверяю. Доктор Макдоналд сказал, что моему мозгу нужен отдых. Все в порядке, все обойдется. Вызовите Ларри, а если он не хочет приезжать, позвоните моей матери, она прибудет и заберет меня в Лондон.

Зря я поверила знакомым, а ведь Грейнджер хорошо знал меня со времени съемок «Клеопатры» и считался моим другом. Он вызвал врачей, которые и слушать не хотели, что мне противопоказаны любые снотворные и наркотические препараты, потому что не усыпят, но вызовут обострение болезни. Не помогли ни мольбы позвать доктора Макдоналда, ни позвонить моей матери, ни позвать Алекса Корду или даже Сэлзника. Мне вкололи огромную дозу какого-то наркотика.

Боясь отравления, я отчаянно боролась со сном. Кроме того, я чувствовала, что меня обертывают чем-то очень холодным и обкладывают льдом. Лед для меня, когда совсем недавно был рецидив туберкулеза, смертельно опасен. Я пыталась говорить, кричать врачам об этом, пыталась сопротивляться, умолять, обещала, что буду вести себя тихо, лежать молча, только чтобы меня не травили и не охлаждали.

Я, силой заставляя свой несчастный мозг работать и не поддаваться никаким снотворным и наркотическим средствам, старалась очнуться, чтобы поговорить нормально. Наверное, делала это зря, потому что дозы только увеличивали. Иногда, лежа уже совсем без сил, я слышала, как медсестры жаловались одна другой, что меня не валит с ног даже смертельная доза наркотика:

– Вот это сила воли! Дура, умрет ведь!

– Какая теперь разница. После того, что она получила, лучше умереть, потому что мозг такого не выдержит.

Приходя в себя, я плакала и просила позвонить маме, чтобы та забрала меня в Лондон...

А однажды, открыв глаза, вдруг увидела Ларри. В первую минуту не поверила и зажмурилась снова. Просто постепенно поняла, что чем меньше сопротивляюсь, тем меньше мне колют наркотиков, то есть если изображать сон или вялую полудрему, то могут почти оставить в покое.

Ларри так Ларри... хотя этого быть не могло. Значит, я все же окончательно свихнулась... Я лежала и тихо плакала, было все равно, если меня все бросили и позволяют медсестрам колоть слоновьи дозы наркотиков, то какая разница... Даже оглушенная, я понимала, что мне не выкарабкаться, просто потому, что будет лекарственное отравление организма.

Это действительно оказался Ларри, но он приехал не спасти меня, а забрать подальше от свидетелей в клинику доктора Фрейденберга, чтобы там подвергнуть жестокому лечению ЭКТ, но сначала погрузить в сон на целый месяц. Неужели некому было сказать, что мне достаточно просто пожить в спокойной обстановке и что месяц накачивания снотворным убьет если не меня саму, то мой мозг?

Перелет и начальное пребывание в клинике я не помню...

Хватит врать! Все я помню! Есть те, кого не берут даже сильные препараты, а если и оглушают, то на время, при этом слух остается, только все становится тягучим и замедленным. Временами я все же проваливалась в небытие, даже слух пропадал, но чаще все же сознавала, что происходит, снотворное лишало возможности двигаться, но не соображать.

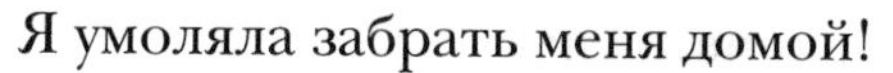

Я умоляла забрать меня домой!

— Ларри, просто привези меня в Лондон, там я справлюсь со всем сама. Прошу тебя, обо всем поговорим потом, только забери меня отсюда. Здесь меня отравят...

Но тебе было нужно иное, иначе к чему разыгрывать дурацкую сцену даже не ревности, а какого-то спектакля:

— Ты любишь Питера?

В тот момент я могла сказать, что люблю хоть самого Гитлера, только бы ты вытащил меня из кошмара, в который я попала.

— Финча? Да, люблю. Я всех люблю...

— Всех? Детка, это многовато... Какого же черта его здесь нет? И к чему тебе тогда муж?

— Ларри, умоляю, скажи, чтобы мне больше не кололи снотворное и наркотики, а еще, чтобы не обкладывали льдом, у меня уже кашель... Забери меня в Лондон...

— Хорошо, но для того, чтобы выдержать полет, нужно все же уколоть снотворное.

— Нет! Нет, Ларри, я умоляю, нет! На меня не действуют снотворные препараты, мне уже вкололи столько, что каждая следующая доза может стать последней. Я буду вести себя тихо, обещаю.

— Нет.

Я боролась, я откровенно боролась за свою жизнь, пыталась избежать укола, отбивалась, кусалась, царапалась, кричала. И тогда двое сильных мужчин – мой муж и Денни Кэй – просто сбили меня с ног, прижали лицом к полу, Денни навалился на спину и ноги, а ты, Ларри? Ты уселся почти на шею, за волосы прижал мое лицо к ковру и скомандовал:

— Укол!

— Ларри, я умру...

Времени оставалось немного, пора выезжать, а снотворное меня не брало, я продолжала отчаянно бороться. И тогда последовал новый приказ:

– Еще укол!

Дрогнула даже медсестра:

– Но, сэр, она может не вынести...

Сэр Лоуренс процедил сквозь зубы, сидя у меня практически на шее:

– Пусть сдохнет, сучка...

Я не сдохла, организм оказался на редкость выносливым. Мало того, очнувшись в самолете, увидела, что вы все спите. Хоть останавливай самолет или выпрыгивай на лету! Смешно: та, которой вкололи огромную дозу снотворного, проснулась, а ее тюремщики спят безо всяких успокоительных.

Я подсела к дремлющему Теннанту:

– Сесил, вы не приболели случайно? У вас утомленный вид...

Теннант открыл глаза, и в ту минуту я просто испугалась за состояние его разума.

– Вив, вы не спите?!

– Да, выспалась. Но если вам хочется поспать, спите спокойно, я посижу тихонько.

– Нет-нет, я уже тоже выспался! – почти завопил бедный Теннант, с трудом разлепляя глаза. – Давай... давай поиграем в карты!

– В карты?

– Да, в карты. У меня есть колода.

Все остальное время полета до Нью-Йорка мы играли в карты. Когда перед приземлением разбудили Ларри, он испытал не меньший шок. Пришлось широко улыбнуться:

– Ты выспался, дорогой? Медсестра случайно не промахнулась, делая укол?

Зря я пошутила, не следовало этого делать.

После приземления я на виду у обомлевших сопровождающих подкрасила губы, поправила изрядно помятое в результате борьбы на полу платье и вышла на трап в сиянии улыбки:

– Привет, ребята! Я рада вас всех видеть! Простите, но не могу ответить на вопросы, спешу.

– Если ты будешь продолжать в том же духе, то отправишься домой в гробу!

Сказано тихо, но твердо. Настолько твердо, что я поняла – это не шутка.

– Не нужно уколов, Ларри, я же не бунтую. Мы летим в Лондон или ты намерен оставить меня в какой-нибудь клинике в Нью-Йорке?

– В Лондон.

– Тогда позволь мне добраться туда, как нормальному человеку, это лучше для тебя же. Не стоит давать репортерам повод для слухов, что твоя жена сумасшедшая.

Почему ты не внял разумным словам? Приступ у меня прошел, я вела себя вполне вменяемо, необязательно было превращать меня в неподвижное бревно, тем более вы прекрасно знали, что меня не возьмет даже огромная доза снотворного. И все же мне ее вкололи перед самолетом в Лондон.

Ларри, ты помнишь, как меня связывали, чтобы затолкать в самолет? Туго спеленутая одеялом, я не представляла большой угрозы, но и тогда меня постарались оглушить. Никакие уговоры не помогли.

– Тебе не будут делать никаких уколов, если ты обещаешь, что действительно не будешь сопротивляться.

– Ларри, но я же не сопротивляюсь, зачем усыплять?

Я покорно не только прилетела в Лондон, но и поехала в клинику к Фрейденбергу, прекрасно понимая, что если только воспротивлюсь, то и впрямь получу смертельную дозу наркотика. И никто не станет разбираться с этой передозировкой, сумасшедших не принято жалеть.

Хотелось спросить, что ты планируешь делать дальше, но не удалось. Отправив меня к Фрейденбергу сразу после прилета в Лондон (я даже не смогла поговорить с мамой и отцом, спросить их, почему не захотели забрать меня из Лос-Анджелеса), ты снова улетел в Италию отдыхать. Мои родители тоже поспешили устраниться...

Меня снова обкладывали льдом, чего делать никак нельзя, кололи огромные дозы препаратов, разрушающих и психику, и организм вообще, а потом... потом я проснулась много раньше времени. И на мое счастье, ни доктор Фрейденберг, ни доктор Марион не пожелали просто поставить диагноз «маниакально-депрессивный психоз» и даже помогли мне — одна дельным советом, другой — выпустив из своей клиники.

Ларри, я спутала тебе все планы, снова спутала.

Мои друзья видели, что я вменяема, существует доктор Марион, которая хоть и вернулась в Америку, но всегда готова выступить на моей стороне, без нового приступа меня невозможно затолкать обратно в клинику и объявить сумасшедшей, а я постараюсь сделать все, чтобы его не было!

Так что будем делать дальше?

Как хорошо, что «Нотли» столь велик, и ты заглядываешь в мою комнату не так часто. Когда-то я четыре месяца провела в этой комнате после вспышки туберкулеза, хотелось выть и действительно кусаться от одиночества, от того, что ты старательно задерживаешься в театре и торопишься туда порань-

ше с утра, только чтобы не общаться со мной. Я понимала, что ты просто боишься, и старательно тебя оправдывала, хотя у меня просто обострение туберкулеза, это не открытая форма, и она тебе не угрожала. Да, оправдывала, но очень тосковала и старательно гасила обиду внутри.

А сейчас рада. Ты не появляешься либо заскакиваешь на минутку, не очень интересуясь тем, что я делаю, чем занята. По вечерам в нашем доме шум, музыка, смех, разговоры — я стараюсь приглашать друзей и задерживаю их допоздна все по той же причине — нежелания общаться с тобой. Мне хватает вот такого общения: я пишу, объясняю тебе то, что не могу или не рискую сказать вслух, сама же отвечаю за тебя, а ты об этом ничегошеньки не знаешь.

Иногда меня охватывает страх, что ты все же увидишь записи, сумеешь понять, что в них. Ларри, ты уже немного знаешь итальянский, значит, мне придется перейти на сербский. Жаль, что я так и не выучила русский, о котором ты говорил, что уж этим языком не займешься никогда в жизни.

Я недооценила своего супруга. Мне далеко до тебя, Ларри, во всем далеко. С первого дня моего возвращения из больницы домой ты столь убедительно играешь доброго, внимательного, но очень занятого супруга, что те, кто плохо знает нас с тобой, вполне могут поверить. Друзья не верят, но ты все равно играешь, даже передо мной, даже перед собой. Ларри, у тебя совсем стерлась граница между жизнью и ролью, второе важней. Я помню твою фразу, что если сорвать маску с настоящего актера, то под ней окажется второй актер. А где же ты настоящий?

Написала и ужаснулась. Кажется, я видела, вернее, слышала и чувствовала тебя настоящего — когда ты упирался коленкой в мою шею и командовал медсестре: «Еще укол!» Нет уж, лучше

играй, по крайней мере, я знаю, по каким правилам ты это делаешь и чего ждать дальше.

А ты не боишься, что под очередной маской уже больше ничего не будет?

Я не уверена, что мне нравится вот этот разбор по косточкам тебя и себя, он приводит к тому, что я все больше ужасаюсь тому, что происходило, и результатам своей жизни. К сорока годам оказаться с репутацией психически больной и безо всяких перспектив? Нет, этого легче не сознавать.

Позвонила Марион и попросила, чтобы я для нее подробно описала, что чувствовала при встрече с ... Ли Холманом. Я даже плечами пожала:

– При чем здесь мой первый муж?

– Вивьен, пожалуйста...

– Ну, хорошо, я напишу. Конечно, первые годы после того, как я ушла к Ларри, было трудно, Холман не давал развод, но теперь мы друзья. И даже Ларри сейчас не против нашей дружбы.

– Сначала не о разводе, а о встрече и семье. Все же вам есть о чем вспомнить, у вас дочь. А вот потом подробно опишите свои и, как вам кажется, его чувства во время и после развода. Не страшно, что придется повторяться. Думаю, посмотрев внимательно сначала на Ли, а потом на Ларри, вы многое поймете.

Эти подробности Ларри уже вовсе ни к чему, потому пишу, ни к кому не обращаясь либо обращаясь к Ли.

С Ли Холманом мы познакомились в феврале 1932 года. Ли было тридцать два, он уже вполне состоялся как личность и как профессионал, был красив спокойной мужской красотой без смазливости, зато с атлетическим сложением, обожал яхты, верховую езду, мотоциклы, автомобили, путешествия и друзей,

«Жизнь прекрасна, и все лучшее в ней впереди».
Вивьен Ли в роли Скарлетт О'Хара. 1939 г.

«Звездный фильм, звездная роль. Разве можно сыграть плохо рядом с такими партнерами?»

Вивьен Ли и Кларк Гейбл в фильме «Унесенные ветром». 1939 г.

«За роль Мамушки Хэтти МакДэниелл тоже получила «Оскара», первая в своей расе. А я на многие годы стала для всех Скарлетт О'Хара».

«Я так хотела поскорей закончить съемки и вернуться в Англию к мужу, что была готова заставить работать по 16 часов в сутки не только своих экранных «сестер», но и всю съемочную группу».

Кадр из фильма «Унесенные ветром». 1939 г.

«Мой первый «Оскар». Жаль, что из-за ревности Лоуренса Оливье до получения им этой премии моей статуэтке пришлось несколько лет служить подпоркой двери в спальню».
Вивьен Ли. 1940 г.

«Второй «Оскар» я получила за роль Бланш. На Бродвее звездой этого спектакля считался Марлон Брандо, в фильме мы играли на равных».

Вивьен Ли и Марлон Брандо в фильме «Трамвай «Желание». 1951 г.

«Трудные роли, но такие интересные! Этот торт мы заслужили. А Брандо от своего «Оскара» отказался в пользу Хэмфри Богарта».
На съемках фильма «Трамвай «Желание». 1951 г.

«Что там впереди?»
Вивьен Ли. 1940 г.

с которыми было бы не скучно и можно совершить рискованные походы. В зале суда звезд с неба не хватал, потому что при юридическом образовании и добросовестной въедливости не был «книжным червем».

Ли просто жил и радовался жизни, ему вполне хватало удовольствий, которые предоставляли походы на собственной яхте, вылазки в горы и скалолазание в Норвегии. Хорошие друзья, прежде всего Освальд Фрюэн, который стал и моим надежным другом тоже, интересные увлечения, ненадоедливая работа — что еще нужно человеку? Семья? Да, наверное, но, с одной стороны, старого холостяка (а как еще можно назвать тридцатидвухлетнего мужчину?) пугала сама необходимость что-то менять в жизни, с другой, он не ловелас, и просто так познакомиться с девушкой для Ли всегда было проблемой. Он юрист и вполне представлял себе последствия серьезного шага.

Кем была к тому времени я? Пока никем, просто Вивиан Хартли, девушкой из тогда уже не слишком обеспеченной семьи, которая вовсе не могла похвастать ни древностью рода, ни блистательным будущим. Родители решили вернуться в Англию, но семья уже не существовала, поддерживалась лишь ее видимость. Даже жили родители врозь — отец у бабушки, а мама с Томпсоном на континенте, где сумела организовать свое дело — салон красоты. Я редко говорила об этом, но себе-то можно признаться — меня мучило понимание, что мама открыто предпочла отцу их друга Томпсона, Томми, который всегда был рядом.

Почему отец терпел это соседство, был ли слишком мягок и безволен или ему просто так легче? Не знаю, но хорошо помню свое собственное почти отчаяние, когда осознала эту двойственность. С одной стороны, мама слыла ревностной католичкой, для которой развод просто невозможен (она и против моего высказывалась резко и нелицеприятно), с другой, посто-

янно держала при себе любовника. Откровенный адюльтер, только прикрытый супружеской снисходительностью.

Наверное, тогда у меня и родилось резкое неприятие вот такого поведения. Нет, если я полюблю, то ни за что не стану скрывать свое чувство, не стану лгать и делать вид, что ничего не происходит.

Почему-то нам всегда кажется, что именно нас минует то, что мы осуждаем? Сейчас я понимаю, что Судьба заставляет человека совершать именно те поступки, которые он не приемлет у других. «Не судите да не судимы будете»? Да, именно так. Но неужели, не осуждай я маму за адюльтер, не имела бы позже своего? Господи, как все сложно!..

После Рохемптона, когда стало ясно, что мои легкие просто не выдержат холодного климата Англии и монастырских условий, меня отправили учиться в пансионаты Франции, Германии, Италии. Я зря надеялась, что порядки пансионатов отличаются от монастырских, если такое и бывало, то в сторону большей строгости и придирчивости. И только учеба в двух из них – в Париже и Китцбюэле – давала возможность посещать театры и вообще вести подобие нормальной жизни. Тогда я дала себе еще одно слово: если у меня будет дочь, я никогда не отправлю ее ни в какой пансионат или монастырскую школу. Как опрометчиво клясться в юном возрасте: свою дочь я не воспитывала совсем...

Конечно, я должна быть благодарна пребыванию в разных школах, потому что там освоила итальянский, французский и немецкий, а также в большой степени сербский языки. Это хорошо, человек должен знать как можно больше языков, такие знания дают свободу, а еще возможность читать книги на языке оригинала.

После обучения немало порадовала отца, заявив, что намерена поступать в Королевскую академию драматического ис-

кусства. Если бы мама могла, она упала бы в обморок, но миссис Хартли не из тех слабых особ, которые решают проблемы нюхательными солями. Она заявила твердое «нет!». И наткнулась на мое не менее твердое «да!». Наверное, мама пожалела, что так долго держала меня вдали от себя, поручив обучение другим людям, но менять что-то оказалось поздно. Радовало ее только одно: семестр начинался не скоро, через полгода. Полгода – срок для юной девушки немалый, известно, сколь часто меняется настроение у романтических натур, какой я, несомненно, была в то время.

Я потому столь подробно вспоминаю о собственной юности, что это важно для осознания нашего с Ли скоропалительного решения пожениться. Скоропалительным решение было только для моей мамы, мне этот год показался катастрофически длинным, я не подозревала, что такие длинные бывают.

Если бы женихи знали о невестах все то, что знают матери невест, то холостяков оказалось бы в сотни раз больше. Мама не знала обо мне почти ничего, но полагала, что знает, и главным в этом знании была моя неготовность к браку. Вообще-то, немного погодя выяснилось, что она права...

Что я чувствовала, встретив Герберта Ли Холмана? Восхищение. Симпатичный, спокойный, настоящий джентльмен, прекрасно образованный, отличный спортсмен, надежный друг и наверняка прекрасный муж в будущем. Его взгляды на семейную жизнь казались мне единственно верными. Неудивительно, ведь я сама семьи почти не знала, с шести лет жила в пансионатах, а когда закончила обучение, то обнаружила, что у каждого из родителей своя, закрытая для меня жизнь. Папа и мама любили меня, но предпочитали жить по своим законам, соблюдая лишь видимость семьи.

Ли считал, что жена должна быть украшением салона респектабельного юриста, он готов баловать супругу, но требовал приличного, по устоявшимся меркам Англии начала века, поведения. Прекрасно образованный (Ли окончил колледж в Кембридже), надежный, знающий, чего хочет, человек – почти идеал.

Каким образом это могло сочетаться с моим желанием учиться в Королевской академии драматического искусства? А кто в юности задумывается над сочетанием несочетаемого? Разве в семнадцать лет человека беспокоит то, что учеба в Королевской академии и желание стать актрисой никак не вяжутся со стремлением превратиться в хозяйку салона серьезного юриста, любящую жену и мать?

Я не была готова ни к чему – ни к роли жены и матери, ни к карьере актрисы. Но если актрисой все же не могла не стать, то с первым получился настоящий провал!

Задумывался ли Холман над моей неготовностью? Наверное. И наверняка серьезно, он человек ответственный, к тому же понимал, что такой женитьбы не одобрят родственники, в первую очередь родители (у Ли была больна мать). Холман долго сомневался, и если бы не Освальд Фрюэн и Хэмиш Хэмилтон, неизвестно, когда сделал бы предложение (если вообще сделал бы).

Юная девушка, прекрасное образование которой все же было далеко от реальной жизни, встретила настоящего джентльмена, у которого имелся полный набор подходящих для главы семейства качеств. Встретила и влюбилась. Сейчас я понимаю, что влюбилась в образ, идеал мужчины, каким считала (и считаю!) Ли Холмана. Удивительно, но даже после всего, что с нами случилось (по моей вине), этот идеал не потускнел, Ли остался таким, каким был, – честным, порядочным, верным и настоящим другом.

Нет, я не завоевывала Холмана и не заявляла с первого взгляда, что выйду за него замуж, но роль невесты серьезного юриста мне определенно нравилась. В Ли и вокруг него мне нравилось все — устоявшаяся респектабельная жизнь, в которой, однако, находилось место щекочущим нервы опасным путешествиям, спокойный характер, надежность и умение рисковать одновременно... а еще его друзья, много видевшие и много знавшие.

Особенно мы подружились с Освальдом Фрюэном. Могу ответственно утверждать: лучшего друга найти трудно. Освальд годится мне в отцы, но это именно тот отец, которого мне всегда не хватало. Сколько было Фрюэну, когда нас познакомил Ли? Около сорока пяти лет, но он с первого слова смог понять семнадцатилетнюю девчонку, причем понять даже лучше Холмана.

Освальд понимал меня всегда, и когда я ушла от Ли к Ларри, тоже понял. Он помог мне сохранить нормальные отношения с Холманом и не потерять уважение к самой себе, хотя всегда предупреждал, что Ларри — это не навсегда. Что видел в нашем с Оливье будущем мудрый Фрюэн?

Уникален и сам Освальд, и его семья. Его кузен... Уинстон Черчилль, поскольку мать Освальда и мать Уинстона — сестры. Сестра Фрюэна Клэр Шеридан и вовсе прославилась своими экстравагантными знакомствами — с русскими Лениным, Троцким, Зиновьевым, Дзержинским, Красиным, с президентом Турецкой республики Ататюрком, с Бенито Муссолини, с испанцем Примо де Риверо, с Мохандасом Ганди... Мотивы этих знакомств были просты — Клэр хороший скульптор и лепила портреты своих выдающихся знакомых, в том числе и Черчилля. Удивительно, но Клэр Шеридан с удовольствием принимали в самых разных странах, и в Америке тоже.

Во многих поездках Освальд сопровождал сестрицу, а потому рассказать ему было о чем. «Нет, в России по улицам городов не ходят медведи, и русские умеют пользоваться вилкой и ножом... Ататюрк не носит на голове тюрбан, а на боку кривую саблю... а вот Махатма Ганди любит национальную одежду...» Я хоть и родилась в Индии, но ничего о Ганди не знала, тем более он не слишком любил англичан, в том числе живущих в Калькутте.

С Освальдом Фрюэном мы понравились друг другу с первого взгляда, и он в тот же день (это было в их знаменитом имении «Брид») поинтересовался у Холмана, сделал ли тот мне предложение. Думаю, именно мнение Освальда подтолкнуло Ли к решению покончить с холостой жизнью, взяв в жены Вивиан Хартли.

Услышав предложение, Вивиан с трудом удержалась, чтобы не взвизгнуть! А как еще я могла отреагировать, если идеал предлагал разделить с ним жизненный путь? Обе мамы, моя и его, были против, моя даже предприняла отчаянные попытки сослать меня в деревню и заставить побеседовать со священником. В деревню я уехала, а вот каяться в церкви категорически отказалась, пришлось маме самой проводить эту самую беседу. Все ее доводы я знала. Да, молода, да, не готова, да, легкомысленна, и разводиться католикам нельзя, и я еще сама не знаю, чего хочу...

Мама не права, я знала, что хочу семью и учиться актерскому мастерству. О первом я сказала, ко второму привлекать внимание благоразумно не стала. Мама была категорически против моей учебы в академии и очень надеялась, что замужество отвлечет меня от глупых мыслей.

Увидев Лесли Говарда в костюме для роли Эшли Уилкса из «Унесенных ветром», я ахнула. Это же стопроцентный Ли Холман! Светлые, волнистые волосы, сухопарая фигура спортсме-

на, английская сдержанность и мягкая улыбка. Я словно играла в фильме со своим бывшим мужем и даже опасалась сказать вместо «Эшли» просто «Ли».

К тому времени, когда Ли «созрел» для прощания с жизнью холостяка, я уже училась в Королевской академии драматического искусства у Этель Каррингтон. О, это было чудесное время! Занятия мне очень нравились, мешал только тонкий, писклявый голос, но мы надеялись, что со временем удастся научиться понижать его. Днем учеба у меня и работа у Ли, вечерами долгие прогулки по Лондону с мечтами о будущем (удивительно, но Ли не был против моих занятий, полагая, что все пройдет само собой, когда мы поженимся, а некоторые актерские навыки светской даме не помешают), по ночам я учила тексты и сама проходила задания, полученные в академии. Спать? Глупости, мне и сейчас достаточно двух-трех часов в сутки, а в юности вообще хватало легкой дремы в течение получаса!

Свадьба состоялась в декабре, она была скромной, но красивой. Маму ужаснуло только одно: я сняла обручальное кольцо с пальца, чтобы показать его подружке Джейн Гласс поближе.

– Вивиан?! Это ужасная примета!

– Я не верю в приметы, мамочка.

А надо бы прислушаться...

Свадебное путешествие по Европе удалось, удивительно, но мы словно нарочно побывали там, где я училась, я попрощалась с прежней «бессемейной» жизнью и начинала новую. Новая жизнь мне определенно нравилась. Ли внимателен, добр, умен и прекрасно разбирался в жизни, мне было чему поучиться.

Чего человеку может не хватать, если у него есть все?

Экономка Холмана миссис Адамс прекрасно справлялась со всеми домашними делами и без меня, квартира ухожена и боль-

ших переделок не потребовала, а свои немногочисленные мелочи я разложила за пару дней. Какое-то время запоем читала, потому что у любителя путешествий Ли была прекрасная подборка книг именно о путешествиях. Изредка приходили гости, к встрече которых все продумывалось и готовилось (я же светская дама, и у меня салон!).

Но в остальное-то время что делать?! Ездить к другим дамам поболтать? Но они либо старше и разговаривать почти не о чем, либо заняты детьми и проблемами со здоровьем. У меня не было ни детей, ни тогда еще проблем. Веселая, доброжелательная птичка щебетала в своей золотой клетке, постепенно начиная понимать, что это все же клетка, а то, что дверца постоянно открыта, положение не слишком меняет.

Все более тягостными становились вечера. Ли возвращался с работы усталым и опустошенным, все же суды не самое приятное место даже для тех, кто не в положении обвиняемых. Мы вдруг обнаружили, что говорить не о чем. Обо всех своих путешествиях за год знакомства Холман уже рассказал, юридические закавыки мне далеки, и разбираться в них совершенно не хотелось. Меня манил и интересовал театр, который не волновал Ли.

Холман не понимал, что еще может быть нужно молодой женщине, если у нее неплохая квартира, хорошая экономка, небольшая машина, дом — полная чаша и любящий, внимательный муж. Нет, Ли не настолько глуп, чтобы не понимать, что мне просто нечем заняться, и нужно дело. Выход напрашивался сам собой — родить ребенка и заниматься его воспитанием!

Замечательная мысль, но детей пока не предвиделось. Через полмесяца, окончательно взвыв от ничегонеделания, я объявила, что возвращаюсь в академию, которую оставила перед свадьбой по просьбе Ли. Это для Холмана было совершенно неприемлемо. Началась борьба характеров. Подозреваю, что

Ли с изумлением убедился, что нрав у его юной супруги совсем не ангельский, и настоять на своем способна.

Интересно было бы поговорить с Холманом об этом, теперь он уже спокойно относится и к моему возвращению в театр, и к самому разводу тоже. Ли – золотой человек, он был и остается надежным и верным. После того, как я ушла к Оливье, оставив их с Сюзанной, он мог бы относиться ко мне совсем иначе. Конечно, у Холмана все еще велика обида, наверное, она никогда не уменьшится, но я все равно могу положиться на его дружбу и дружбу Фрюэна, они не оставят без помощи. А еще Ноэль Кауард...

Я пересилила, но вернулась не к Этель Каррингтон, а во французский класс Алис Гаше. А дальше произошло то, на что надеялся Холман. У молодых, здоровых людей, если они любят друг друга, хотя и скучают рядом, рождаются дети. У нас тоже.

И снова Ли пришлось столкнуться со стальным характером своей внешне хрупкой супруги. Помню, однажды он пожаловался:

– Вив, все говорят, что ты хрупкая и нежная, я знаю другую – крепкую, как железный столб.

– Но ведь нежную, Ли?

Я не ушла из академии, несмотря ни на какие требования, доиграла все учебные спектакли того семестра и... отправилась рожать раньше времени. Сюзанна родилась на месяц раньше срока, роды были очень тяжелыми, и я, как, наверное, большинство впервые рожавших трусих, поклялась «больше ни-ни!». Нет, счастливое материнство не для меня. Пока не для меня, может, когда-нибудь потом...

Потом не получилось, потом были только выкидыши. Нельзя отказываться от счастья материнства, даже если тебе всего девятнадцать. Каждый ребенок – подарок Судьбы, от-

кажешься от одного, других просто не будет. Думаю, сыграло роль мамино отношение к семье и детям. Если ребенка с рождения можно поручить кормилице, а в шесть лет отдать в монастырскую школу на другом краю света, о каких материнских чувствах у этого ребенка потом можно говорить?

Нет, останься наша семья с Ли целой, у меня были бы еще дети, и материнский инстинкт тоже бы проснулся, но тогда двадцатилетняя мамаша снова начала мечтать о сцене.

Я сейчас задумалась вот о чем. За все эти годы, когда жилось легко и не очень, когда на меня страшно давили сначала в монастыре, потом муж и все время мама, когда я недосыпала и даже сильно нервничала, у меня не было приступов! Ни одного! Неужели Марион права, и это просто эмоциональное выгорание, когда невысказанное, пережитое, обидное, собственное недовольство и укоры самой себе, чье-то осуждение – все копится внутри и выплескивается безобразной сценой?

Да и вообще, если подумать, то приступы никогда не возникали просто из-за усталости, они всегда связаны... они связаны с тобой, Ларри! Это очень неприятная мысль, но это так. Проблемы начались в Америке, но не из-за усталости от работы в «Унесенных ветром», а из-за проблем с разводом и нашим браком. И позже тоже...

Пока я жила с Ли, пусть и недолго, у меня не было ни одного срыва!

Может, поэтому Марион попросила разобраться в своих чувствах к Ли и потом к тебе?

Я хочу сказать, Ларри: я все равно люблю тебя и всегда любила. И если бы пришлось, все повторила бы сначала, даже зная о психушке и электрошоке, повторила бы! Это самое сильное чувство в моей жизни (пусть простит меня Сюзанна), ты

и театр – вот главное. Потом дочь, друзья, они об этом хорошо знают, а потому не обижаются.

Так неужели мои приступы связаны с тобой? Неужели это расплата за любовь?

Это очень трудно осознать...

Я не буду думать об этом сейчас. Я подумаю об этом завтра.

Прежняя квартира Ли Холмана для семьи с ребенком была мала, требовалось найти нечто просторное, к тому же в маленькой квартирке нашим гостям тесновато... Еще до рождения Сюзанны мы искали и нашли – миленький особнячок, маленький, словно игрушечный (Холман пошутил, что под стать миниатюрной хозяйке), на Литл Стенхоуп-стрит, рядом с Пикадилли и Грин-парком... Но главное, главное! – в этом особняке в свое время жила Линн Фонтенн! Я вдруг почувствовала родство с ней и театром вообще.

Ничего, вот рожу и снова вернусь в академию и в театре играть тоже буду, разве мало актрис имеет детей? А у меня такой муж и много помощников.

Ошиблась, после рождения Сюзанны муж и слышать не желал ни об академии, ни о театре, считая все это дурью и почти требуя выкинуть глупые мысли из головы. Будь Холман менее воспитанным, он просто поставил бы мне пару синяков под глазами, чтобы поскорей перебесилась.

Нет страшнее ошибки, чем та, что совершена по собственной воле и исправлению не подлежит. У меня было все: уютный дом, в который обожали приходить гости, внимательный, любящий муж, маленькая дочь, достаточно средств, разумная экономка, прилежная служанка и добрая няня у малышки, множество друзей, наряды, безделушки, автомобиль... Не было только счастья, потому что оказалось – счастье без сцены невозможно. А сцена была невозможна, по мнению Холмана.

Я сама загнала себя в ловушку, причем, когда мама о ней предупреждала, я не желала и слышать, была влюблена, мне и в голову не приходило, что любовь не на всю жизнь. Задай кто-нибудь такой вопрос, глаза бы распахнула:

– Да разве бывает невечная любовь?

Дурочка? Нет, просто далекая от жизни идеалистка, воспитанная в монастырской строгости, чтении «достойных» книг днем на глазах у наставниц и «недостойных» по ночам тайком, а еще на театральных спектаклях и собственных выдумках. О реальной жизни я имела весьма смутное представление.

Очень недолгая семейная жизнь научила меня тому, что вечного нет ничего, даже любовь живет и умирает. Хуже всего, если это происходит быстро, люди не успевают приноровиться друг к другу и не желают уступать, навязывая собственное видение мира и понятий «хорошо-плохо». Удивительно, но Ли, совсем недавно казавшийся мне верхом разумности и терпимости, теперь выглядел верхом упрямства и деспотизма.

Сейчас я понимаю, что он ничуть не изменился, просто я видела в нем только то, что хотела видеть, он во мне тоже. Холман не заметил, вернее, посчитал капризом тягу к театру, а моему упрямству намеревался противопоставить свое собственное. Началось противостояние двух упрямых баранов на тонкой жердочке над пропастью. И выхода ведь никакого, мы основательно уперлись лбами, но уступи вдруг кто-то один, в пропасть полетят оба (что и произошло). Вместе нам не идти, и теперь предстояло только понять, кто пересилит и как долго продлится это противостояние.

На помощь пришел Освальд Фрюэн, он посоветовал позволить мне попытать счастье сначала в рекламе (меня снимали для рекламы сигарет), а потом в крошечной эпизодической роли с парой слов в кинокомедии, которую забыли через день после премьеры. Уступив, Ли брал свое иронией, он откровен-

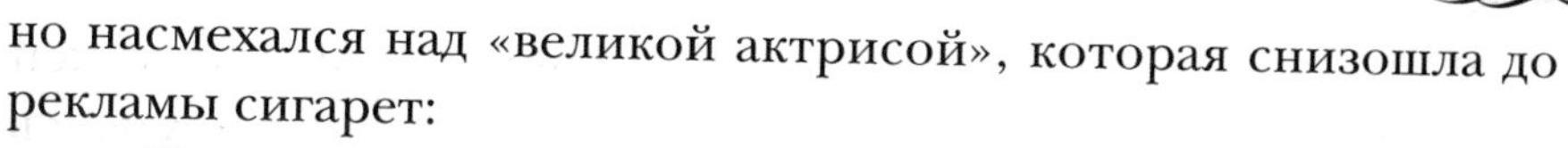

но насмехался над «великой актрисой», которая снизошла до рекламы сигарет:

– Теперь спрос на эти сигареты превысит число курящих в Англии.

Со съемками в роли школьницы, появляющейся всего в двух крошечных эпизодах, получилось похоже: Ли смеялся над «титаническими усилиями, приложенными для запоминания текста» из двух фраз, и над тем, что даже по секундомеру не успел засечь время моего краткого пребывания на экране.

Но муж мог смеяться сколько угодно, он не знал одного: я уже вдохнула воздух кулис и съемочной площадки и навсегда отравлена им. Это может понять только тот, кто слышал команду «Мотор!» или аплодисменты зрительного зала. Попавший в этот мир пропадает навсегда, обратного пути нет. Театр и кино – это воронка, водоворот, из которого не выбраться, а если и выбираться не хочется...

– Вив, если это называется актерской карьерой, то, ейбогу, ты платишь за нее слишком большую цену.

Повод для ехидства имелся. На съемки в роли школьницы я отправлялась в пять утра, в ожидании вызова на площадку проводила на студии, трясясь от холода в тоненьком летнем платье, целые дни. Вызова обычно не было, никто не знал, когда именно будут снимать мой эпизод, зато я успевала промерзнуть, потому что зима выдалась лютой, слабенький электрообогреватель не спасал. Недосыпание и ранние подъемы меня не пугали, я даже мерзнуть была согласна, пугала угроза, что мою роль вообще выбросят или при монтаже вырежут эпизоды со мной.

Продвигалась я медленно, после десятисекундной роли школьницы была хоть и главная, но совершенно пустая роль в «Джентльменском соглашении» Пирсонза. Позже Элиа Казан поставил в Америке свой вариант фильма, который имел

успех, а наш никто и не вспомнил, потому я никогда не говорю о главной роли в этом фильме, чтобы не вызывать недоуменных вопросов.

А потом меня со съемочной площадки фильма пригласили на главную женскую роль в пьесе «Зеленый наличник» в театрике «Кью» в пригороде Лондона. Это обычная практика, многие спектакли сначала обкатывают в провинции или пригороде, чтобы представить в Лондоне уже исправленный вариант. Но не все до Лондона доживают.

Так было и с «Зеленым наличником», спектакль сдох после двух недель показов. Следовало бы с помпой отметить его скорую кончину, хоть чем-то компенсируя провал, но мое неуверенное предложение организовать вечеринку принято не было.

Кажется, только это и успокаивало возмущенного Холмана – кинофильмы с моим участием не спешили выпускать в прокат (вовсе не из-за меня, а из-за финансовых трудностей, мешавших превратить отснятый материал в единое целое), спектакль благополучно провалился. По совету Фрюэна Ли просто давал мне возможность «перебеситься», чтобы я сама убедилась в бесперспективности этого занятия. Он не позволил подписать контракт с агентом на долгий срок, хотя согласился на использование части своего имени в моем сценическом, из Вивиан Ли Хартли я превратилась в Вивьен Ли.

Кстати, это имя придумал не кто иной, как Освальд Фрюэн! Сидя у него, мы перебирали подходящие имена, не удавалось найти ничего не слишком вызывающего, но достаточно звучного. Мой агент Глиддон предложил «Эйприл Морн» («апрельское утро»). Такой бред я и произносить перед Фрюэном и Холманом не стала, иначе бедолага Ли начал бы икать от хохота (и был бы прав!). Мне самой нравилось Аверилл Моэм.

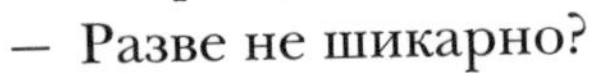
– Разве не шикарно?

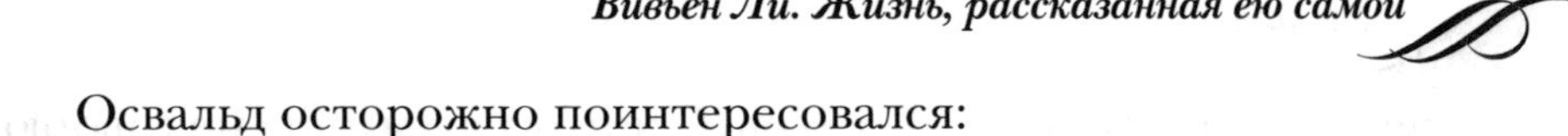

Освальд осторожно поинтересовался:

— Вив, тебе нужно шикарно или соответствующе твоему облику и характеру?

— Ну...

Несмотря на неопределенный ответ, он стоял на своем:

— Представь, что ваш с Ли домик назвали бы «Замком в скалах». Чем тебе не нравится свое собственное?

— Вивиан Ли Холман?

Какое счастье, что в ту минуту Освальд не висел на страховочной веревке в руках у Холмана, быть бы ему на дне ущелья! Взгляд Ли красноречивей всяких слов обещал кровавую вендетту, его коробили все наши разговоры. Я понимала, что муж надеется на мой провал на актерском поприще, но чтоб этот провал еще и звучал его именем?!

К счастью, Фрюэн осознал, что из-за столь опрометчивого предложения их многолетняя дружба подверглась серьезному испытанию, и быстро предложил:

— Можно короче: Вивиан Ли.

Холман с усилием затолкал в ряд книгу, которую до того вертел в руках, делая вид, что происходящее его не интересует.

— Можно чуть изменить и само имя, будет звучать более женственно: Вивьен. Вивьен Ли... почему нет?

Умный Фрюэн больше не стал ничего предлагать или настаивать, но именно это имя и стало моим.

Но Ли ошибся, надеясь, что из-за никчемных ролей и провалов спектаклей я разочаруюсь и брошу затею с театром или кино. Возможно, так и было бы, но тут я увидела Ларри! Моя судьба была решена сразу и бесповоротно.

Иногда я думаю, что мы могли бы не играть вместе, что нас вообще могли не познакомить, я могла не понравиться Ларри — такому божественно красивому, мужественному

и столь же талантливому. Но было уже все равно, даже если бы Ларри вообще лишь скользнул по мне взглядом, как по креслу в салоне, проверяя, что оно не занято, я все равно в него влюбилась! Я влюбилась в Ларри сразу и навсегда!

И этому сумасшедшему чувству не мешают ни трудности, ни всеобщее осуждение, ни даже понимание всех его недостатков и отвратительных черт характера. Я могу видеть, что божественный актер Лоуренс Оливье страдает безумным количеством земных пороков, это не мешает мне любить его. Недостатки богов тоже божественные, даже подлость у Ларри божественная, талантливая, гениальная! И пусть меня снова тащат на электрошок, я и там буду кричать, что он лучший!

Господи, какая дура... Но дура влюбленная.

Ларри, если вдруг тебе попадутся на глаза эти записи и ты сумеешь прочитать дикую смесь языков, запомни одно: как бы я ни ругала, как бы ни костерила тебя, я все равно тебя обожаю и ради того, чтобы остаться рядом, готова на все.

БОЖЕСТВЕННЫЙ ЛОУРЕНС ОЛИВЬЕ

Как быть, если нет возможности играть самой? Остается смотреть, как это делают другие. Холман не слишком любил театр, тем более современные пьесы, казавшиеся ему полной профанацией. А на лондонской сцене блистали мой дорогой друг Ноэль Кауард (тогда он еще не был не только другом, но и просто знакомым), аристократичный Джон Гилгуд и самый многообещающий молодой актер красавец Лоуренс Оливье. Особенно Ларри был хорош в «Королевской семье», пьесе Кауфмана и Фербер.

Я пропала в первый же миг, как увидела красавца Оливье на сцене.

К этому времени у Ларри начался крутой подъем карьеры. Просто поразительно, почему режиссеры и прочие ответственные за поиск талантов не сразу заметили гениального молодого актера. Это говорит только об их слепоте и отсутствии чувства прекрасного.

В отличие от меня у Ларри никогда не стоял вопрос – быть или не быть актером, его семья ему не мешала. Но и не помогала тоже. Неизвестно, что лучше, а что хуже – когда у тебя есть все, кроме свободы выбора, кем быть, или когда эта свобода есть, но совершенно нет денег.

Ларри играл всегда и везде с самого детства, я помню его выражение, что под маской актера у него скрывается следующая маска. Говорят, театр полностью заменил Оливье жизнь. Нет, это не так – для него сама жизнь только театр. С помощью лицедейства Ларри даже не самоутверждается, он этим живет. Отец разрешил ему пойти на сцену, но не дал при этом ни фунта. Хочешь играть – играй, только живи на собственные средства. Ларри по-настоящему голодал и бедствовал, когда я вспоминаю об этом, в горле встает ком, который трудно проглотить.

И все же отец хоть чем-то помог, он попросил дочь своего друга Сибилл Тордайк, муж которой Льюис Кэссон был режиссером, помочь Ларри. Думаю, теперь Кэссон должен гордиться, что помог начинающему актеру Лоуренсу Оливье быть замеченным Барри Джексоном. Конечно, театр Джексона в Бирмингеме – это не Вест-Энд или Бродвей, но там начинали многие талантливые актеры. К тому же, если вспомнить мое собственное начало в «Кью», то становится понятно, сколь талантлив Лоуренс.

Да, конечно, ему тоже пришлось два года играть что попало, пока взяли в основной состав, но ведь взяли же! Мне не предложили и того...

А потом была «Синица в руки» с Джилл Эсмонд Мур, связавшая Ларри и Джилл в семейную пару. Ларри как-то смеялся, говоря, что само название спектакля описывает его тогдашнее состояние. Джилл – дочь весьма влиятельного театрального се-

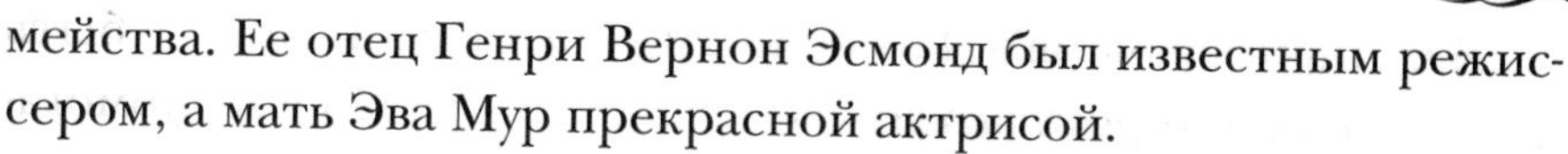

мейства. Ее отец Генри Вернон Эсмонд был известным режиссером, а мать Эва Мур прекрасной актрисой.

Отец Джилл уже умер, я не могла увидеть его на сцене, но мать не только еще играла, она продолжала сниматься в фильмах (Эва Мур как раз в то время сыграла в нашумевшем «Еврее Зюссе», который через пять лет по-своему повторили в нацистской Германии). Сама Джилл недавно снялась в «Грязной игре» Альфреда Хичкока...

Даже к тому времени, когда Ларри и Джилл встретились, она уже была опытной актрисой – шесть лет на сцене. Красивая, умная, с твердым характером, она талантлива, хотя сам Ларри бессовестно отказывает ей во всем, кроме влиятельных родителей. Это не так, достаточно посмотреть фотографии Джилл, она красива, но, конечно, до Ларри ей далеко (как и всем остальным), я не знаю актера, который мог бы сравниться красотой с божественным Лоуренсом Оливье в середине тридцатых годов.

Это не предвзятое мнение влюбленной по уши женщины, это объективный факт, чтобы в нем убедиться, достаточно посмотреть фотографии.

Конечно, Джилл была много образованней Ларри, это неудивительно, потому что у Оливье просто не было возможности получить приличное образование, он не поленился бы, однако его отец не позаботился об этом, а мать умерла давно. Ларри не слишком любил признавать превосходство Джилл хоть в чем-либо (он вообще не любит признавать чье-то превосходство, Лоуренс во всем должен быть первым, подозреваю, что, если бы сказали, что прыгнуть из самолета без парашюта имеет право только лучший, Ларри сделал бы этот шаг, что не умаляет его гениальности). Однако не раз проскакивало признание, что именно Джилл научила его читать книги помимо

театральных пьес, слушать музыку, интересоваться живописью и вообще чем-то помимо сцены.

Джилл была опытней, хотя и ровесница Ларри, вернее, их опыт располагался словно в разных плоскостях. По умению выживать без денег и пробивать себе путь Ларри оставит позади кого угодно, а вот умению видеть перспективный материал его пришлось учить.

Ларри рассказывал, как они спорили с Джилл (ее имя при этом не произносилось, но было понятно, с кем именно спорил Оливье) по поводу малоизвестных пьес и ролей в них. Оливье всю жизнь тянет к ролям героев, только сейчас больше к злодеям, а тогда тянуло на роли героев-любовников, этакие слащавые идеализации подвигов, страсти и даже войны. Он мечтал сыграть в «Красавчике Жесте».

Зная Ларри уже достаточно хорошо, я представляю эту борьбу Джилл с ним, понимаю, чего стоило заставить Оливье репетировать предложенную ею пьесу и как она была разочарована, когда Ларри бросил трагическую роль ради эффектной пустышки. Речь идет о пьесе Роберта Шерифа «Конец путешествия». Джилл настаивала, что Ларри должен сыграть главного героя капитана Стеунхопа – почти антигероя, спивающегося по ходу пьесы.

Совсем не романтический герой, пьяница, сама пьеса антивоенная, никакого величия... Я понимаю, что только опасения потерять поддержку Джилл заставили Ларри начать репетировать. Но если Оливье что-то не хочет... я представляю, что это было, я сама такая. И все же спектакль начали играть, и отклики критики были прекрасными, все, казалось, подтверждало слова Джилл.

И тут Дин вдруг собрался поставить пьесу, о которой мечтал Ларри, – «Красавчик Жест» – и пригласил Ларри играть в ней! Лоуренс плюнул на все и всех – на идущую с успехом

пьесу, на театр, в котором его так хорошо продвигали, даже на Джилл, хотя на Джилл не совсем, и ушел в Вест-Энд играть в роли своей мечты. Я не могу осуждать Ларри, потому что сама ради роли Скарлетт могла бы бросить многое и не слушала никаких советов и отговорок. Если твердо знаешь, что это твоя роль, – стоит жертвовать.

Обидно, что жертва Ларри оказалась бесполезной. Постановка «Красавчика Жеста» не удалась, честнее сказать, с треском провалилась, с трудом продержавшись на сцене всего месяц. Я не знаю, в чем там дело, спектакль видеть просто не могла, потому что была совсем юной девушкой и училась в Европе. О перипетиях на английской сцене мы и не слышали, мне обо всем рассказали много позже, когда мы с Ларри уже были знакомы, но это никак не могло повлиять на мое к нему отношение.

А вот Уэйл и Шериф быстро нашли Оливье замену, и... спектакль «Конец путешествия» стал настоящей сенсацией и в Вест-Энде, куда его перенесли ввиду явного успеха. Пьеса держалась весь сезон, а по окончании полный состав отбыл в Америку, потому что Уэйлу предложили сделать по пьесе фильм в Голливуде. Колин Клайв, заменивший Ларри после его ухода, стал настоящей звездой и уже не только Англии.

Сознавать упущенную блестящую возможность, конечно, тошно. Мало того, после ухода Ларри из театра тот словно ожил, «Синицу в руки» повезли для показа на Бродвее, и Джилл уехала вместе со всеми. Несчастный Ларри потерял сразу возможность стать звездой в Лондоне, сняться в Голливуде и жениться на Джилл!

Его собственные выступления у Дина были никудышными, один спектакль проваливался за другим. Это время нужно было пережить. Насколько я знаю, спектакль «Убийство на втором этаже», где участвовал Оливье, тоже пригласили на Бродвей.

Казалось, ситуация начинает выправляться, еще чуть, и публика, режиссеры и продюсеры поймут, какую совершили ошибку, не оценив должным образом талант Лоуренса Оливье. Оценит и Джилл, которая уже больше полугода успешно выступала на бродвейской сцене.

Однажды Ларри проговорился, что мечтал увидеть свое имя на огромных бродвейских афишах, толпу репортеров у входа и продюсеров разных бродвейских театров и голливудских компаний.

Но... Ситуация повторилась, «Синица в руки» имела такой успех, что гастроли продлили еще на год, а вот «Убийство на втором этаже» недотянуло даже заявленного срока, зрители хлопали стульями, покидая зал прямо во время спектакля! Я хорошо понимаю, что это такое, представляю переживания актеров, особенно Ларри, столь чувствительного к аплодисментам, да еще и когда у Джилл рядом полный успех, а потому могу оценить и стойкость, почти мужество, с которым он перенес ситуацию. Помню, как страдал Ларри, когда провалилась наша постановка «Ромео и Джульетты», не думаю, что «Убийство...» провалилось из-за его игры, и сочувствую Оливье от всей души.

Каким надо обладать мужеством, чтобы в такой ситуации сделать Джилл повторное предложение! Она оставалась в Нью-Йорке играть на Бродвее, а он возвращался в Лондон ни с чем. Но Ларри, как всегда, был уверен в себе, он знал себе цену и почти потребовал от Джилл, чтобы брак, наконец, был зарегистрирован. Джилл согласилась, все же успех или провал – любви не помеха. Конечно, я бы тоже согласилась на ее месте! Разве можно судить об актере, тем более таком, по нескольким неудачным пьесам? Да, он неосмотрительно не послушал Джилл, ушел из «Конца путешествия» ради «Красавца Жеста» и поплатился успехом в Вест-Энде и Голливуде, но ведь хуже Ларри от этого не стал. И менее талантливым тоже.

Джилл оценила и согласилась выйти за него, но только после окончания гастролей по Америке. Я хорошо представляю переживания Оливье. Джилл предпочла ему профессию, сначала уехала в Нью-Йорк, когда у него все проваливалось в Лондоне, теперь решила продолжить гастроли... Во-вторых, у Джилл была работа, а у Ларри нет! Провальные постановки Дина привели к тому, что денег на новые больше не давали, он распрощался с собранной труппой и занялся своими делами. Ларри никуда не брали, опасаясь то ли новых неудач, то ли возможного предательства в случае более выгодного предложения. Человеку, однажды бросившему спектакль ради другого, очень трудно доказать, что это не повторится.

Я не знаю, что играл или где снимался Ларри в тот год, спрашивать об этом нельзя, но понимаю, каково ему было сидеть на шее у невесты, а потом жены. До безумия самолюбивый и уверенный в своем высоком предназначении (он тысячу раз прав!). Лоуренс маялся без дела, в то время как его жена не просто зарабатывала на жизнь семьи, но и была успешна, несмотря ни на какой кризис.

Я попыталась понять, почему не получилось настоящей семьи у Лоуренса с Джилл. Нет, не в том дело, что встретилась я. Если бы я по-настоящему любила Ли Холмана, то обратила бы на Ларри внимание только как на актера, а талантливых актеров в Англии много. Если бы он любил Джилл, то тоже сумел бы избежать ловушки, и в фильме «Пламя над Англией» я была бы для Оливье только актрисой.

Потом мне все подтвердил Ноэль Кауард. Он был свидетелем многих лет жизни Ларри сначала с Джилл, а потом со мной. Ноэль – друг, ему можно верить. К тому же он очень любит Ларри и не способен солгать просто ради красного словца или в отместку за что-то.

Я думаю, Ларри прекрасно понимал все происходящее, понимал, что не прав, но он из тех людей, которые ни за что не признают свою неправоту. Оливье способен возвращаться к спору раз за разом, приводя все новые аргументы, даже абсурдные или просто надуманные, только чтобы доказать свою правоту, «взять верх». Друзья об этом знают и никогда не ввязываются в спор с Ларри, а если это все же случается, то быстро признают свою неправоту (даже если это не так) и его победу, иначе дорого обойдется. Это создает у Оливье ложное впечатление почти оракула, мол, его слово последнее, и он всегда прав. Я тоже предпочитаю не спорить.

Ноэль сказал, что Джилл – очень общительный человек, у нее много друзей, причем из артистической, интеллектуальной элиты. Друзья успешны, их постановки, роли, произведения, выступления и просто дела приносили известность, имена, многочисленные предложения сотрудничества, деньги, в конце концов. У Ларри было все наоборот, он мог быть тысячу раз талантливей кого-то, но этого просто не замечали. И это у самолюбивого Оливье!

У Джилл – роли, у Ноэля – постановки, у Гилгуда – аплодисменты, а Лоуренс Оливье сидит на шее у жены и вымученно улыбается ее приятелям. Как тут не взвыть?

Ларри злился, срывал недовольство на жене и ее друзьях, вызывая все большее недовольство окружающих и сочувствие его жене. Джилл поступила разумно, она попросила Кауарда дать мужу роль в новой пьесе «Частные жизни», правда, роль второго плана, но это же лучше, чем ничего, актер должен играть.

Для Ларри это был удар ниже пояса – играть второстепенную роль у приятеля жены, на которого он втайне смотрел свысока (а я думаю, просто завидовал его успеху), он отказался в оскорбительной форме. Ноэль рассказывал, что только бе-

седа с Джилл заставила его повторить предложение. В конце концов Джилл и Кауард настояли, Ларри вынужден был согласиться на эту роль, хотя играл, скрипя зубами.

То, что пьеса имела настоящий успех сначала в Лондоне, а потом и в Нью-Йорке, куда ее перенесли, не успокоило самолюбивого Оливье, лишнее доказательство правоты Джилл и Кауарда не могло его радовать. Вот этого не понимал уже никто: у Ларри молодая жена-красавица (пусть он говорит, что хочет, Джилл красива!), которая помогла ему стать успешным, аплодисменты каждый вечер, неплохие заработки и даже интервью в газете, а он недоволен.

Я понимаю, чем был недоволен Ларри – тем, что он не самостоятельно добился успеха, что это супруга принесла ему и роль, и аплодисменты, и гастроли на Бродвее. Знаю многих, кто говорил, что Ларри завидовал успеху Джилл. Нет, не завидовал! Он не мог завидовать, потому что, когда Лоуренс Оливье только делал первые шаги в театре на серьезной сцене, Джилл Эсмонд уже играла в Вест-Энде, тогда она была на голову выше начинающего актера Лоуренса Оливье. Завидовать можно только равным либо тем, кто выше тебя. Ларри никого выше себя не признает, он и равными считает немногих.

Скорее это была не зависть, а злость. Она – успешна и востребована, он – нет, она советовала и даже заставляла играть какие-то неприятные ему роли, и все получалось, приносило успех, если выбирал он сам – проваливался. Для гордого, самолюбивого (Кауард сказал «самовлюбленного», пусть так) мужчины, актера, у которого его «я» просто обязано быть выше других, иначе выходить на сцену не стоит, это очень тяжело, унизительно, вызывает даже не раздражение, а почти ненависть. К кому? Ко всем вокруг, к более успешной жене, дающей полезные советы, к тем, от кого зависит его собственное благополучие и роли...

А в Нью-Йорке на них обратили внимание агенты Голливуда, сразу три компании предложили долгосрочные контракты. Но одних интересовала только Джилл, другие возмутились запрошенной Ларри оплатой, и только Дэвид Сэлзник, сыгравший позже столь важную роль и в моей жизни тоже, решил работать с парой, увидев у Ларри большие способности.

Контракт подписан, казалось, чего же лучше? Но снова у Джилл были роли, а у Ларри так себе. Для него, мечтавшего о мгновенной славе романтического героя, играть роли второго плана с никчемным текстом, к тому же в кино!.. Оливье всегда и всем доказывал, что театр – это настоящее, а кино – лишь способ подработки, а на подработку не следовало тратить ни душевные, ни эмоциональные силы. Ларри играл из рук вон плохо.

Говорят, Сэлзник попробовал привести его в чувство, приведя в пример Джилл: мол, вот кто старается, вот у кого будущее в кинематографе. Мало того, Дэвид умудрился посоветовать Ларри исправить неровные зубы, расстаться с неподходящими друзьями и... поучиться актерскому мастерству для кино, поскольку оно несколько отличается от театрального. Советовать Ларри учиться актерскому мастерству мог только человек, который либо его почти не знал, либо совсем им не дорожил!

Сэлзник плохо знал Ларри, а потому и не дорожил. Если Лоуренс чего-то не хотел, он и не делал, вернее, делал так, чтобы было провально. Я до сих пор поражаюсь, как удалось Джилл и Кауарду заставить его играть в «Частных жизнях» прилично. В Голливуде Кауарда не было, а Джилл было некогда, Оливье играл безобразно. Было понятно, что контракт с ним продлевать не намерены. Зато Джилл в это время предложили очень интересную работу в «Билле о разводе», об этом мне рассказывал Сэлзник на съемках «Унесенных ветром».

Вообще-то для актерских пар это нормально, когда муж и жена подолгу не видятся, поскольку контракты в разных странах и даже континентах. Редко кому удается играть вместе все время. С подсказки Кауарда Ларри мечтал о создании с Джилл пары, подобной паре Лант и Фонтенн (король и королева английской сцены!). А теперь выяснялось, что для Джилл есть интереснейшая роль, а для него либо ничего, либо снова ерунда, недостойная внимания.

Я понимаю Ларри. Разорвать контракт и вернуться в Англию в одиночку практически ни с чем, тем более неизвестно, будет ли там работа после трехлетнего отсутствия, в то время как супруга снова будет зарабатывать деньги и славу в Голливуде? Можно сколько угодно костерить кино, доказывая, что оно ничто по сравнению с театром, можно смеяться над нравами и недостатками Голливуда, но, когда у жены получается все, несмотря на эти недостатки, а у мужа – нет, кто же поверит, что виноват Голливуд? К тому же в Лондоне пришлось бы снова идти на поклон к Кауарду за работой.

Я не осуждаю Ларри, все же Голливуд не сразу разглядел его талант, даже Сэлзник сделал далеко не все, чтобы Оливье показал свои способности.

Ларри заявил жене, что видел контракт с Кэтрин Хепберн, уже подписанный на ту самую роль, которую предлагали Джилл, а это значит, что нужно возвращаться в Англию, иначе можно остаться в Америке ни с чем, а дома начнется очередной сезон, в котором места для них уже не будет. Джилл с его разумными доводами согласилась.

Это версия Ларри, расспрашивать подробней невозможно, это чревато скандалом. Хотя зачем расспрашивать? Майрон Сэлзник, брат Дэвида, который к тому времени стал агентом Джилл, а потом и нашим с Ларри, рассказывал (только втайне

от Оливье и умоляя не передавать ничего ему самому), что все было иначе.

Дэвиду Сэлзнику надоело уговаривать Ларри приложить хоть какие-то усилия, чтобы выделиться среди актеров Голливуда, поскольку никто просто так, из одной уверенности Оливье, его киногением не считал, прекрасно играть на сцене и в кино – не одно и то же. Джилл старалась, у нее получалось, ее оценили, а вот Ларри не желал ничего сделать для признания. Всем надоело, и на студии решили с ним контракт не продлевать, а вот Джилл предложить главную роль в «Билле о разводе», которая могла сделать ее настоящей звездой.

Дэвид надеялся, что в Ларри заговорит зависть, и он тоже постарается что-то сделать, что новый звездный статус супруги подтолкнет его к работе вместо простого осуждения и отрицания. Сэлзник – очень опытный продюсер, умный человек, талантливый организатор, но в Ларри он не понял ничего. К тому же Майрон, который мог лишиться Оливье как клиента, проболтался Ларри о намерении брата заключить контракт только с Джилл, надеясь, что Джилл потребует контракт и для мужа.

Ларри всем рассказывал о коварстве Сэлзника, мол, роль Джилл обещал, а сам одновременно отдал ее Кэтрин Хепберн. Это ерунда, потому что Кэтрин еще была никем, роль в этом фильме – ее первая роль в кино, а у Джилл было имя, причем прекрасно известное Сэлзнику. Просто Ларри задело, что жене предложили дальнейшее сотрудничество, а ему нет. Вопреки надежде Сэлзника Ларри не стал ни усердствовать, ни вообще ожидать каких-то предложений, ни тем более учиться мастерству киноактера, он заявил Джилл, что уезжает, что потратил слишком много сил и времени, пока удовлетворял ее глупую прихоть сниматься в этом идиотском месте, что его ждет работа дома, а терять годы на столь бездарное дело,

как американское кино, могут только ничтожества, это не для него.

Но, главное, Ларри объявил, что в случае, если Джилл подпишет контракт с Голливудом и не вернется в Англию с ним, им придется развестись. Он сказал, что якобы видел уже подписанный контракт с Кэтрин Хепберн и также положение об урезании зарплат голливудским актерам вдвое, что Джилл просто обманывают... А его пригласили сняться с Глорией Свенсон в фильме «Полное взаимопонимание», но в родной Англии.

Джилл сделала выбор в пользу Ларри, она отказалась от долгосрочного контракта и вернулась с мужем домой. Сэлзник, как мог, препятствовал этому, он открыто сказал Джилл, что намерен дать роль ей, что если она уедет, то потеряет всякую надежду на карьеру в Голливуде, хотя вполне могла бы стать звездой.

Дэвид предрек даже большее – что Ларри бросит ее, потому что завидует ее легкости, ее умению добиваться успеха там, где он сам буксует. И еще предупредил, что лучше с Ларри вместе не сниматься и не играть, никакой пары вроде Лант – Фонтенн у Оливье ни с кем не будет, пара – это когда рядом, а с Ларри можно только на шаг позади.

Я услышала все это, когда шли съемки «Унесенных ветром», посчитала предупреждения Сэлзника почти глупостью, а его рассказ о Джилл простой попыткой оправдаться. Мне бы задуматься над предупреждением:

– Вивьен, все, что было сказано Джилл, я могу повторить и вам. Вы нужны, только пока оттеняете Оливье, смотрите в глаза и учитесь у него. Как только встанете рядом, придется либо вернуться на ступеньку ниже, либо развестись.

– Что?! Мой муж будет только рад моим успехам! Я сумею удержать семью, потому что, в отличие от Джилл Эсмонд, считаю, что Ларри гениален и мое место действительно в его тени.

– Боюсь, вам все же придется выбирать между Оливье и карьерой. Не ошибитесь, одна уже пожертвовала карьерой и не получила ничего взамен.

Ларри, я очень надеюсь, что пророчество Сэлзника не сбудется, но все чаще думаю, что в чем-то повторяю путь Джилл.

Ларри и Джилл вернулись в Лондон, он снялся с Глорией Свенсон, но фильм получился абсолютно провальным. Однако они с Джилл уже были голливудскими актерами, а потому и дома их снимали охотно. Но тут начались проблемы, потому что Джилл не имела права на площадке переигрывать Ларри, он злился и начинал работать плохо.

Можно намеренно быть на полшага позади кого-то в жизни, перед репортерами, перед публикой, но невозможно в игре. Когда-то нас в этом обвинил Тайнен, критик, обожающий Оливье и готовый ради вознесения его на недостижимый престол всех остальных, тем более меня, низвергнуть в грязь. Тайнен написал, что рядом со мной Оливье играет вполсилы, чтобы не провалилось мое исполнение. Это полная глупость, обидная даже для самого Ларри, но Ларри почему-то не обиделся.

Если так, то Ларри вообще нельзя играть ни с кем рядом, потому что с Джилл получалось похоже.

Сейчас я понимаю, что у нас с Джилл многое похоже, кроме одного – она родила Тарквиния, а вот я – нет. А еще, когда они с Ларри встретились, Эсмонд была объективно сильней, и это она сделала Оливье актером, как бы он ни утверждал обратное. Именно Джилл безошибочно выбирала пьесы и роли для Ларри, она учила его актерскому мастерству, она заставляла работать на сцене и на площадке.

Со мной Ларри столь же непоследователен, как и с Джилл, когда для него нет хороших ролей в Голливуде, а для жены есть, – Голливуд худшее место на свете, место, где таланты не

ценят, где только халтура и безвкусица, где работают монстры, создающие убогие поделки. Если приглашают Ларри, Голливуд в мгновение ока превращается в кузницу талантов и поприще для добывания всемирной славы.

Увезший из Голливуда жену почти силой из-за того, что там обманщики и бездари, недостойные внимания настоящих актеров, Ларри, получив предложение сыграть вместе с Гретой Гарбо, свои обвинения забыл и занялся обменом телеграммами с американцами, только на сей раз это был «МГМ». Интересно, знал ли об этом предложении Сэлзник, а если знал, то почему не предупредил «Метро», из желания досадить?

Ларри диктовал условия, словно уже был недосягаемой звездой. Представляю, как он гордился и перед Джилл, и перед Сэлзником тем, что его, как настоящую звезду, уговаривают сняться с другой звездой, выполняя все требования. А они были немалыми, Майрон Сэлзник говорил, что Ларри потребовал не только оплаты проезда в оба конца, большого гонорара за саму роль, замены ее равноценной в случае срыва съемок, но и подобных условий для Джилл. Все это шумно освещалось в прессе (я помню, хотя не придавала значения, поскольку Ларри на сцене еще не видела).

Шума было очень много, тем обидней оказался провал. Грета Гарбо сочла Оливье неподходящим для игры с ней и отказалась сниматься с «этим англичанином»! Лоуренс мог диктовать все, что угодно, но он не был звездой, которой позволительно выбирать партнеров, а Гарбо была. Это показало Ларри его реальное место в Голливуде.

Кому я не завидую в этой ситуации – Джилл Эсмонд, потому что прекрасно понимаю, что все недовольство Ларри выливал на нее, а что это такое, я знаю...

С Голливудом было порвано «навсегда», это название проклято, никто не смел произносить само слово «Голливуд».

И вообще, в кино настоящему актеру делать нечего! Сколько раз я слышала такие заявления, если фильм не удавался или что-то получалось не так, как хочется Ларри. Но как только его приглашали сниматься, все забывалось, Голливуд поворачивался другим боком, и его огни снова сверкали ярче звезд.

Кино «больше не существовало», оставался театр. К счастью, Кауард пошел навстречу и предложил несостоявшемуся партнеру Греты Гарбо роль в комедии «Биография», потом Ларри заменил Ричардсона в «Королеве шотландцев» и, конечно, роль в «Королевской семье» Кауфмана. Эта пьеса — настоящая пародия на реальных актеров Бродвея, умная, яркая, в которой Ларри сумел проявить лучшие свои актерские качества. Мне куда больше нравятся вот такие его роли, чем те, в которых он играет мерзавцев.

Вот такого Ларри — в «Биографии», «Королеве шотландцев» и в «Королевской семье» — я и увидела впервые. Его Тони Кавендиш был бесподобен, со мной согласились бы многие, а потому я посмотрела «Королевскую семью» бессчетное количество раз. Хотя и одного достаточно, чтобы влюбиться без памяти.

На сцене играл Идеал — красивый, излучающий какую-то загадочную энергию, этой энергией буквально затапливающий зал. Ларри был невозможно хорош, обаятелен и так контрастировал со всем, что ждало меня дома! На сцене — фонтан эмоций, талантище, само божество, дома — спокойная повседневность, рутинная, размеренная жизнь.

— Вот человек, за которого я выйду замуж!

Не помню, как произнесла эти слова, хотя подруга твердит, что сказала, а она в ответ упрекнула, мол, он женат, а я замужем.

Я пропала, потому что между мной, сидящей в зале, и Ларри, царившим на сцене, стояла не Джилл Эсмонд и их брачный обет, а сам театр. Джилл имела возможность быть рядом с моим божеством каждый день не просто дома, а на сцене и за кулисами, что в тысячу раз важнее, потому что дома простая жизнь, а на сцене волшебная!

Ларри – это наваждение, которое я не смогу стряхнуть с себя никогда, но я и не намерена этого делать. Однажды Фрюэн спросил, что я сделала бы, узнай, что Ларри разлюбил меня?

– Умерла бы.

Я не умерла только потому, что верю, что в глубине души он все еще любит меня. Но тогда добавила не зря:

– А если бы не умерла, то все равно всю жизнь любила бы его. Освальд, дело не в его любви, а в моей.

Моя любовь родилась тогда и умрет только вместе со мной. Когда мне плохо, когда я понимаю, что Ларри предает меня, что несправедлив, что его чувства вовсе не те, что раньше, меня спасает только мысленное возвращение к ТОМУ Ларри, тому, которого я увидела на сцене впервые. Я знаю, что любовь того Ларри я сумела завоевать и он любит меня по-прежнему, а «Еще укол!» скомандовал не тот Ларри. Найти бы еще способ пробиться к прежнему...

По вечерам, и не только, в нашем доме много гостей, которые засиживаются допоздна, иногда до самого рассвета, мы подолгу беседуем, обсуждаем пьесы, роли, чьи-то успехи и неудачи. Ты стараешься избегать наших шумных компаний под видом усталости и большой занятости. Я понимаю, что устаешь и занят, но ведь не меньше заняты и остальные, Джон Гилгуд также ставит пьесы и играет, Кауард серьезно работает, многие друзья тоже... Но мы не против, потому что в твоем присутствии разговор должен идти только о твоих успехах и твоих проблемах, твоих планах и недостаточной оценке твоих способностей...

Знаешь, поняв, что ты все время мучаешься от того, что, как тебе кажется, тебя недостаточно ценят, я ужаснулась. Это же прямой путь к эмоциональному выгоранию! Одной выгоревшей на нашу семью достаточно. Два дня даже не могла писать, все думала, как бы объяснить тебе о синдроме эмоционального выгорания, о том, что не стоит придавать большого значения не всегда объективным отзывам критиков, тому, что не каждый «Оскар» твой, надо научиться радоваться, что у Гилгуда спектакли часто получаются более эмоциональными, и сам он играет прекрасно. Не может быть одна-единственная звезда, на небе их очень много, и ярких тоже.

Едва не завела с тобой этот разговор, но... Хорошо, что Бог миловал, ты приехал совсем не в духе, а на вопрос «что случилось?» только фыркнул:

– Невыносимо работать с идиотами, каждый из которых мнит себя талантом! Но тебя это не касается, отдыхай!

Я прикусила язычок, осознав, что едва не вызвала новый приступ твоей ярости. Нет, Ларри, тебе эмоциональное выгорание не грозит. Вернее, если оно и будет, то только от слишком большого подчинения своего эго отрицательным персонажам. Тебе наплевать на чью-то оценку, ты сам себе высший критик и судья, для тебя существует только собственная оценка.

Но ведь раньше ты переживал из-за провалов, я хорошо помню твои страдания из-за неудач. Как тебе удалось научиться не обращать внимания на нелицеприятную и даже нечестную, необъективную критику?

Спрашивать об этом прямо нельзя, ты решишь, что я на стороне критиков. Но мне удалось сокрушенно вздохнуть:

– Завидую твоему умению не мотать нервы из-за чьего-то идиотизма...

– Это удел сильных!

– Научи?

– Я сказал: это удел сильных. Не для тебя.

– Плохо быть слабой, любой может вывести из себя.

Тебя словно ветром сдуло из моей комнаты, объясняться со слабой и чему-то учить уже не намерен, прошли те времена, когда ты мог мне что-то внушать, объяснять свою позицию. Мы чужие, совсем чужие, и связывает нас только одно: мы не можем расстаться, не испортив собственный имидж окончательно, публика не простит столь быстрого расставания после столь долгого адюльтера.

Смешно, Ларри, мы, словно рабы на галерах, прикованы друг к другу и должны играть роли любящих супругов. Пока удается, только надолго ли и как выпутаться из этого положения? Поговорить бы откровенно, но я даже думать об этом боюсь, понимая, что ты легко вызовешь у меня новый приступ и последует очередное посещение клиники доктора Фрейденберга. Там больше нет Марион, помогать будет некому, и я просто погибну.

Удивительно, но я начинаю видеть себя и тебя словно со стороны, это помогает критически оценивать наше поведение. Как получилось, что мы загнали себя в столь глупое положение?

Когда все только начиналось, Освальд Фрюэн сказал мне со вздохом, что продлится наш союз лет десять, а то и всего лишь пять. Я фыркнула, потому что представить такой короткий срок для столь сильной любви, какая была у нас, невозможно. Тогда казалось, что у нас есть все, чтобы быть едиными оставшуюся долгую жизнь. Я верила, что Ли и Джилл поймут непреодолимость нашего чувства, дадут разводы – единственное, что могло нам помешать. А уж в остальном мы просто одно целое.

Фрюэн покачал головой:

– Вивьен, боюсь, что только тогда и начнется развал. Пока вы будете бороться за право стать мужем и женой, вы едины, но как только вы это право получите, развалится последняя сдерживающая сила.

– Не понимаю.

Я действительно не понимала.

– Ты слишком сильна и талантлива для Ларри. Ему нужно, чтобы жена была на шаг, на три позади во всем, чтобы смотрела в рот и восхищалась. Одна уже обожглась, неужели ты не поняла, почему стала неугодной Джилл?

Я не хотела обсуждать Джилл, считая, что она просто поставила свой театральный успех выше семейного счастья. Уж я-то этого не допущу!

– Но я смотрю и восхищаюсь, это не игра, Освальд, я действительно восхищаюсь Ларри. Ты не можешь отрицать, что он талантлив.

– Вивьен, я не отрицаю, Ларри – очень талантливый актер. Есть только два «но» – не мешало быть еще и талантливым человеком, чего не наблюдается. И второе – ты не менее талантлива, а потому легко если не выйдешь вперед, то встанешь с ним вровень. И тогда начнутся проблемы.

Я горячо возражала, что ты замечательный человек, Фрюэн тебя просто плохо знает, а я вовсе не столь талантлива и если чего-то добиваюсь, то только с твоей помощью. К тому же я не собиралась ни выходить вперед, ни даже равняться с тобой, хотя ты сам об этом все время говоришь, обещая сделать из меня актрису, способную играть Шекспира.

Освальд слушал, почти сокрушенно кивая, словно слышал то, что ожидал, а речь вела несмышленая девочка.

Тогда казалось, что я всем смогу доказать: тебе, что я способная ученица, Фрюэну, что любовь успеху не помеха, Джилл, что по отношению к тебе нужно было вести себя иначе, театр вторичен, а любовь первична. Ничего не вышло, боюсь, что Фрюэн оказался прав, причем прав во всем, вплоть до сроков. Не он ли советовал Джилл и Ли не давать нам развод целых пять лет?

Когда умерла твоя любовь, Ларри, и почему ты не сказал мне об этом? Зачем меня обманывать, прекрасно зная, как я жду этот обман? Может, легче порвать все сразу и каждому начать жизнь сначала? Как поговорить с тобой об этом?

Любовь – самое непостижимое чувство из всех человеческих, самое сильное, способное увести за собой куда угодно и заставить чем угодно пожертвовать. Но она же – самое уязвимое чувство: ею самой жертвуют в первую очередь. Сейчас мне кажется, что ты пожертвовал любовью ради своего успеха. Но первой жертвой оказалась я сама.

Я даже сама себе не сознавалась, что с тех пор, как увидела Лоуренса Оливье, у меня появилась еще одна причина пробиться на сцену, пожалуй, теперь самая значимая – там я могла встретить своего идола. О том, чтобы вместе сыграть, не было даже мысли, это слишком сказочно. Нет-нет, рядом с божеством у меня просто подкосятся колени и я не смогу не только выдавить из себя слова, но и просто устоять на ногах!

Ли внимательно присмотрелся ко мне:

– Вив, что случилось, ты сама не своя? Неужели снова ребенок?

– Нет, что ты!

– Тогда что?

Я вздохнула:

– Там настоящая жизнь, а здесь...

– Где там, в театре? Ты ошибаешься, настоящая жизнь здесь, а там выдуманная, постарайся это понять и не подменяй одно другим, можешь оказаться в дураках.

Но на сцену не звали, зато позвали на съемочную площадку, пусть на роль второго плана, но ведь не эпизодическую же, не такую, что только и можно с секундомером посчитать время присутствия на экране.

Я пытаюсь понять, удачей или неудачей были первые серьезные съемки именно у Дина?

Бэзил Дин у актеров слыл монстром, не терпящим не только возражений, но и малейшего самовольства ни на сцене, ни на площадке, каждое слово, жест, малейшая интонация должны точно соответствовать требованию Дина, его видению, его указаниям. Никакой вольности, никакой отсебятины! Актеры жаловались, что с ним не игра, а слепое следование указаниям.

Для меня тогдашней это было бы, пожалуй, спасением, потому что я еще ничего не умела. Если бы у Дина не было еще одной ужасной привычки – он устраивал разносы вслух при всех и оч-чень громко! Играть впервые серьезную роль, не имея толком образования и опыта (не считать же таковыми два семестра в академии и десятисекундную роль с двумя фразами?), и выслушивать в свой адрес крик режиссера, не всегда выбирающего выражения:

– Я требую, слышите, требую, чтобы вы произнесли эту фразу со страдальческим выражением и сделали вот такой жест! Вы в состоянии запомнить мои указания или нужно кричать все время съемки кадра?!

Грейси Филдз, игравшая главную роль, усмехнулась:

– Теперь можно не сомневаться, что страдальческое выражение, которое тут, кстати, вовсе ни к чему, у бедной девочки непременно будет, достаточно ей только услышать ваш рык. Бэзил, прекратите использовать свои голосовые связки во всю их силу, мы не глухие.

Грейси такие речи были позволительны, она звезда, ради концертных номеров которой и снимался сам фильм с удивительно пустым сценарием.

Филдз отвела меня в сторону и посоветовала:

— Не обращайте внимания на его крик, играйте так, как вам подсказывает чутье. И не волнуйтесь, вы все же получили роль, а это главное. Пусть кричит.

Наверное, вот такая «школа» в самом начале очень полезна, не будь я просто помешана, как говорил Ли, на театре и кино, я просто бросила бы всякую мысль о продолжении артистической карьеры. Трепать нервы без «помешательства» никто не будет. Бэзил Дин был прекрасным экзаменом на выносливость и терпение, который я выдержала. Не знаю, получилась ли роль, но охота сниматься и играть на сцене не пропала.

Однако работа с Дином вовсе не приблизила меня к кумиру, Ларри играл на сцене, а я дрожала на съемочной площадке фильма, за который никаких наград и даже упоминаний в прессе не получишь.

Но почти сразу после окончания съемок меня пригласили играть в «Амбассадорз» в пьесе Эшли Дьюкса «Маска добродетели», которую для крупнейшего английского продюсера Сиднея Кэрролла ставил Максуэлл Рэй, причем играть главную роль!

— О, Ли, это слишком хорошо, чтобы быть правдой!

— Откажись, — спокойно пожал плечами мой супруг, которому совершенно не нравились ни съемки, ни репетиции.

Первые репетиции из-за бесконечных споров Рэя и Кэрролла были ужасны, режиссер считал, что мы играем легкую комедию, а продюсер — что вполне серьезный спектакль. Если честно, мне вовсе не хотелось комедии, я жаждала страдать. На мое счастье, победил Кэрролл (все же деньги давал он), и именно он диктовал видение главных ролей, в первую очередь моей, что очень не нравилось Рэю.

К моменту премьеры я была в полуобморочном состоянии и помнила только одно — совет Грейси Филдз, данный еще на съемках у Дина: плюнуть на все и играть то, что чувствуешь.

Пресса внимательно следила за перипетиями споров продюсера и режиссера, а потому театр был переполнен. От меня ждали не слишком многого, потому что репортеры заранее объяснили, что от исполнительницы требуется лишь обладать прекрасными внешними данными, то есть попросту быть красивой. Я считалась красивой, оставалось лишь не упасть от волнения в обморок, не забыть текст и не потерять голос.

В четвертом ряду партера сидел Ли с моими родителями. Это уже не роль второго плана, это главная роль в спектакле, о котором знал весь Лондон, на афишах мое имя огромными буквами. Если позор, то навсегда, следующей попытки не будет. Дебютантка в главной роли в Вест-Энде... это накладывало особую ответственность, тут одной красотой не обойдешься, в конце концов, симпатичное личико дальше десятого ряда даже в бинокль не разглядишь.

И вот... «Мисс Ли, ваш выход, пожалуйста!» А ноги подкашиваются, и голос, кажется, слушаться не намерен. Вот только этого не хватало, чтобы провалиться в день премьеры. Ладно, умирать будем потом, пока пора на сцену. Три глубоких вдоха, перекреститься и – шаг под свет юпитеров. Зал где-то там, в темноте, туда лучше не смотреть и вообще не думать о присутствии зрителей...

Я ничего не помню, очнулась только от криков «браво!» и грома аплодисментов. Мне?! Это мне?!

Как хорошо, что я не знала о присутствии в зале трех акул кинобизнеса – Алекса Корды, Джозефа Шенка и Меррея Силвертона. Хозяин «Лондон филмз» и представители «Фокса» и «Юнайтед артистс» в тот вечер несколько засиделись в ресторане и в зале появились, когда спектакль уже начался. Но если бы и знала, в том состоянии мне было все равно...

Буря оваций и поклоны, а потом почти бегом в гримерную, чтобы не разрыдаться и не размазать тушь по лицу. Не помо-

гали уже никакие глубокие вдохи, оказалось, что играть даже легче, чем выдерживать овации, на которые не надеешься.

Я едва успела прийти в себя, как в дверь постучали. Гримерша открыла и в волнении отступила назад:

– Миссис Ли...

Наверное, даже «Амбассадорз» не часто видел такое: к дебютантке в гримерную явились собственными персонами законодатели кино Англии – Корда, Шенк, Силвертон, следом за ними ворвались Кэрролл и Рэй! Я мгновенно получила предложение от Алекса Корды на долгосрочный контракт, Шенк заявил, что меня может заинтересовать «Фокс», который вне конкуренции в Голливуде, а Силвертон добавил, что если и «Фокс» не подойдет, то он готов найти любую приемлемую компанию.

После ухода великой троицы ко мне со слезами на глазах бросился с поздравлениями Рэй, который раньше не очень-то верил в успех, и Кэрролл, назвавший меня будущим английской сцены.

Когда в гримерную смогли добраться Ли и мама с папой, я была уже почти невменяема. Муж хмуро посоветовал:

– Нужно дождаться утренних газет с отзывами критиков.

Он был прав, потому что аплодисменты в зале вовсе не означают похвалы критиков, это я уже усвоила. Вдруг спектакль просто не заметят или отругают за слабый и слишком высокий голос, или, как оператор на съемочной площадке, найдут, что у меня слишком длинная шея...

Страшно возбужденная, я отправилась с Ли и родителями в ночной клуб, всем было не до сна. Заметят – не заметят? Примут – не примут? Отзывы означали, буду ли я актрисой.

То, что мы увидели в газетах, превзошло все ожидания, вернее, я многого и не ждала, хотя бы просто упомянули на предпоследней странице... И вдруг... на первых страницах огромные

шапки: «ТРИУМФ ДЕБЮТАНТКИ», «ВИВЬЕН ЛИ – ОТКРЫТИЕ»...

Уже утром наш дом осаждала толпа репортеров, которым срочно понадобилось интервью, а офис моего агента Гliддона – представители кинокомпаний. Глиддон оказался весьма ловким агентом, он подхватил сказанные вскользь слова Корды о 50 000 фунтов за съемки в «Лондон филмз», растрезвонил об этом, заставив заволноваться других акул кинобизнеса, в результате я получила предложения даже от «МГМ». Но пересилил Алекс Корда, хотя бы уже по той причине, что для съемок на его студии можно было не уезжать далеко.

Бедный Ли Холман! Он так надеялся (по совету Фрюэна), что я перебешусь и стану послушной домашней кошечкой, а кошечка взяла и превратилась в тигрицу на сцене! Ли был очень расстроен, потому что не ожидал от увлечения, которое вдруг принесло такие плоды, ничего хорошего для нашей семьи и себя лично. Одно дело – с удовольствием выслушивать восхищенные отзывы о красивой, приятной в общении жене Вивиан и совсем другое – понимать, что эта жена отныне больше принадлежит сцене, чем тебе самому. И возражать поздно, теперь уже весь Лондон знал, как Ли Холману повезло с супругой – звездой, которой платят сумасшедшие деньги – 50 000 фунтов – за съемки одного фильма.

Я пыталась убедить Ли, что все останется по-прежнему, что я такая же, какой была вчера, но он только сокрушенно качал головой:

– Ты променяла нас с Сюзанной на сцену.

– Ли, ты не должен так говорить!

А ведь он оказался прав, сцена действительно увела меня из семьи, но несколько позже, потому что мой кумир существовал в том же мире – на сцене.

Если честно, то я на время даже забыла о Лоуренсе Оливье и своем желании выйти за него замуж. Я репетировала и играла вовсе не ради новой встречи с Ларри, а просто потому, что иначе не могла. Наверное, помогло то, что я не видела Оливье в его спектаклях в эти месяцы, мне было не до чужих премьер. Конечно, никакой лавины ролей не последовало и никаких 50 000 фунтов тоже, Корда подписал контракт, но разрешил полгода играть в театре и почти ничего не предложил в кино.

Я не видела Ларри в это время еще и потому, что он был болен – неудачно выполнив пируэт на сцене, сломал ногу и был в гипсе, но продолжал работать. Оливье решил сам заняться постановкой, потому что чужие правила ему не подходили. Он купил права на две пьесы, в одной предоставил роль Джилл, а во второй – Грир Гарсон.

Это особый случай, весьма показательный, из которого и Джилл, и мне следовало бы извлечь урок, но мы обе оказались слепы. Вернее, Джилл все видела и понимала, но не сделала никаких выводов.

Первая пьеса, «Инспектор манежа», провалилась, критики отметили только игру Джилл, на чем свет стоит обругав самого Ларри. «Золотую стрелу» он ставил ради возможности работать с Грир Гарсон. Рыжеволосая девушка понравилась Ларри настолько, что он забыл о супруге. Пьеса тоже провалилась с треском.

Без опеки Джилл у Ларри не получалось ничего, но находиться в ее тени он больше не мог. Никакой пары Оливье – Эсмонд не получалось, в паре неизменно сильней оказывалась Джилл, что не могло не приводить в бешенство Ларри. Оливье нужна женщина, которая действительно смотрела бы на него, как на божество, снизу вверх и не помышляла ни о каких советах.

Сначала советы и помощь Джилл Ларри были необходимы, как воздух, она учила актерскому мастерству, поведению на

сцене, советовала, наставляла, но прошло время, и он решил, что все постиг и способен создавать шедевры сам. Возможно, так и было, но Джилл не собиралась опускаться на колени перед новым Ларри и ловить каждое его слово, она знала себе цену.

Позже Джилл сказала мне, что тогда встала перед выбором — быть самой собой и актрисой или быть женой Ларри. Мне кажется, она прекрасно понимала, что то и другое не совместить. В Голливуде Джилл уже выбрала между кино и Ларри, теперь предстояло выбрать между ним и театром. Это жестоко, потому что Джилл — прекрасная актриса, а замужество за Оливье испортило ей карьеру.

Почему я не задумалась над судьбой Джилл? Прекрасно видела, что мешает Ларри и Джилл быть счастливой парой, но считала, что у нас-то все будет иначе. Мне и в голову не приходило, что Грир Гарсон однажды встанет и на моем пути тоже...

Но тогда до этого было еще далеко, каждый из нас играл свои пьесы...

Джону Гилгуду, прекрасному актеру и режиссеру, пришла замечательная идея. Он поставил «Ромео и Джульетту» и пригласил в нее Ларри сразу на две роли — Ромео и Меркуцио. Эти же две роли Гилгуд исполнял сам, то есть они с Ларри менялись ролями каждый вечер. Идея удивительная, однако Ромео в исполнении Оливье критикам и зрителям не понравился, а в роли Меркуцио его хвалили очень.

Я пришла за кулисы поддержать актера, сказать, что критики далеко не всегда оценивают по достоинству. Пришла на правах знакомой...

Мы с Ли ужинали в «Савойе», когда Джон Букмастер, подошедший поздороваться, сообщил, что в ресторане среди прочих и «модный ныне Лоуренс Оливье». Я чуть не упала со стула,

все забытое всколыхнулось вмиг. Можно сколько угодно упиваться собственным успехом, не думать об увиденном на сцене божестве, но когда имя божества произносят вслух, пульс ускоряется в два раза.

– Да, они с Джилл Эсмонд за соседним столиком, вы разве не видели?

И хорошо, что не видела, иначе опозорилась бы, с визгом бросившись если не на шею, то брать автограф.

Джон познакомил нас, я старательно смотрела не на Ларри, а на Джилл, просто боясь встретиться с Оливье глазами, чтобы он не понял все в одно мгновение.

– Я видел вас в «Маске добродетели» в «Сент-Джеймсе». Единственный минус – объем зала слишком велик для объема вашего голоса, вам тяжело?

– О, да!

Это «О, да!» относилось вовсе не к слабости моего голоса и не к величине зала «Сент-Джеймса», а к моей собственной мысли, что мое божество вблизи еще лучше, чем из партера.

Я лихорадочно пыталась вспомнить, где играла Джилл, но, кроме фильма Хичкока, ничего путного не приходило в голову. Пришлось хвалить Хичкока...

– А вы в каком еще спектакле играете?

– Я дебютантка, то, что у меня было, – крошечные роли в пригородных театрах.

Джилл умна, она ободряюще заявила, что лучше удача в пригородном театре, чем серый спектакль в Вест-Энде.

– Но удач не было, только мелочь. Я не закончила академию, Ли возражает.

Холман поморщился, меньше всего он любил, когда при нем обсуждали мои театральные проблемы да еще и привлекали его имя.

– А в кино снимались?

– Только в совсем крошечных эпизодах и в прошлом году у Дина.

– О!.. После Дина актеру не страшен даже Хичкок, если выжили, можете соглашаться на любые другие предложения.

Джилл наверняка привыкла к вот таким молодым девушкам и женщинам, таращившим глаза на ее красавца мужа, потому смотрела на меня почти сочувственно. Красота женщины опасна, а красота мужчины и вовсе смертоносное оружие.

Наше знакомство так и осталось бы поверхностным, хотя мы обменялись приглашениями в гости и обещаниями «обязательно, как только выдастся свободный вечер...», но я отправилась смотреть «Ромео и Джульетту» с Оливье в роли Ромео, а потом за кулисы хвалить неудачно игравшего Ларри.

Умом я понимала, что критики правы, – Ларри куда лучше удается Меркуцио, но какое они имели право ругать мое божество?! Мне очень хотелось похвастать отзывами на собственный дебют, но я понимала, что на фоне ругани Оливье это будет выглядеть просто неприлично.

– Ларри, не обращайте внимания, критики часто оценивают достижения с опозданием, они еще будут жалеть, что не воспели ваш талант вовремя.

Как часто потом я произносила эту фразу, Ларри! Стоило кому-то обругать тебя, как приходилось заявлять о несостоятельности критиков, а если хвалили меня – мы делали вид, что это мелочи, просто недостойные внимания. Только один раз тебе не удалось сделать вид, что моя игра – всего лишь ученические этюды, ты был поражен и не мог этого скрыть, – когда я сыграла Скарлетт. Но довольно быстро пришел в себя, и тогда мой «Оскар» полетел в окно! Веселенькое признание заслуг от любимого божества...

Я знала, каково это, когда не замечают и не оценивают так, как ждешь, а потому старательно нахваливала неудавше-

гося Ромео, попробовав осторожно посоветовать, как изменить пару сцен. Это было сверхрискованное мероприятие, скажи я еще пару слов – и наше знакомство прервалось бы, толком не начавшись. Но тебя больше интересовала моя внешность, а не мои театральные сентенции, пришлось прикусить язычок.

А потом мы побывали в вашем «Доуэр-Хаузе» и оказались свидетелями того, как трудно ужиться вместе двум актерам, таким сильным, как вы с Джилл. В отношении Ромео Джилл стояла на позициях критиков: «Деревянно!» Я едва не расплакалась от досады.

Не знаю, как Джилл, но Холман понял все. Дома он спокойно поинтересовался:

– Влюбилась?

– Кто?

– Ты в Оливье. Вив, ты так блестишь глазами, что не заметить невозможно. Не забывай, дорогая, что у вас семьи, и нам с Джилл не слишком приятно видеть твое восторженно-влюбленное состояние. Ты считаешь себя актрисой, так сумей играть хотя бы спокойствие, если не равнодушие. Это куда приличней, чем поедать Оливье восторженным взглядом.

Джилл ругала, я хвалила, Джилл чего-то требовала, я обожала, Джилл учила, я внимала, Джилл была на шаг впереди, я стояла на ступеньку ниже... Из двух ролей одного спектакля Джилл хвалила Меркуцио и ругала Ромео, я восхищалась обеими, хотя Ромео не стоило бы...

Кого мог выбрать в такой ситуации Ларри? Неудивительно, что он выбрал меня. Но тогда я не знала об их семейных делах и творческих взаимоотношениях, я знала одно: Ларри божественен, и если это божество до сих пор не оценила по достоинству даже его собственная супруга, тем хуже для нее! Уж я бы!..

Вероятно, меня в дополнение к Грир Гарсон для бедной Джилл было многовато, она встала перед выбором, чем жертвовать – Ларри или карьерой. Пожертвовала карьерой.

Я пыталась понять, почему жертва оказалась напрасной? Поздно? Возможно, но скорее другое – Эсмонд осталась прежней требовательной Джилл. Она не могла не критиковать, не требовать, не учить, она сделала Ларри таким актером, вывела его на первые роли (конечно, без его таланта этого никогда не удалось бы, но все же), она чувствовала себя ответственной за качество его игры, в конце концов, тогда она была на ступеньку выше: у него всего одна удачная роль в «Королевской семье», а у нее множество, у него все впереди, у нее почти закат карьеры, потому что отказа подписать контракт в Голливуде ей не простили.

Между успехом и Ларри Джилл выбрала Ларри, что доказала ее последующая беременность. Но Ларри она уже потеряла.

Позже, когда мы с Ларри уже решили жить вместе, Джилл беседовала со мной. Она прекрасная актриса и прекрасная женщина, но что она могла мне посоветовать?

– Я понимаю, что ты влюблена и все слова бесполезны, когда человек в таком состоянии, он не способен внимать чьим-то советам. И все же выслушай меня...

Она предупредила меня обо всем: что придется тоже жертвовать, и не только дочерью, но и карьерой. Мечта Ларри о короле и королеве английской сцены возможна лишь на словах, никто рядом встать не сможет, будь хоть в тысячу раз талантливей!

– Но почему?!

– Потому что, как только встанешь, он тебя бросит. Вивьен, Ларри – талантливый актер, но он невозможен в качестве мужа, Грир Гарсон будет повторяться в каждой постановке: красивый мужчина, почувствовавший свою силу, все время

будет готов изменить. Нет, он не станет бегать за женщинами, они сами будут бегать за ним, широко раскрыв глаза от восторга.

– Но ведь ему чего-то не хватает?

– В семье? Поклонения. Я не могу слепо любоваться его неудачами, как это делаешь ты. И еще придется забыть о собственных успехах, пока у Ларри неудачи, жена не может быть успешной.

– А если он удачен?

– А если он будет удачен, жена рядом покажется ничтожеством, и взгляд Ларри постарается поискать вокруг кого-то не менее красивого и более звездного. Вивьен, быть женой рядом с Ларри актрисе невозможно, эту роль можно только играть.

Довольно быстро Джилл поняла, что говорит если не в пустоту, то без должного отклика. Мне казалось, что это речи ревнивой супруги, которая понимает, что потеряла мужа. Нет, уж со мной такого никогда не случится! Я буду внимать гению, буду слушать его советы, мне и в голову не придет его критиковать, поддержка и только поддержка! «Играть роль жены»... Хм, я была готова играть эту роль (играю уже столько лет), только бы быть рядом со своим божеством.

Джилл усмехнулась:

– Ты еще более наивная и влюблена сильней, чем я думала. Все, что я могу сделать для тебя, – не давать Ларри развод как можно дольше.

– Почему?!

– Чтобы ты успела убедиться в своей ошибке раньше, чем совершишь непоправимое.

Я и сейчас считаю, что никакой ошибки не было, хотя все произошло так, как предрекала Джилл, Кассандра из нее вышла бы отменная. Они с Ли действительно не давали нам развод пять лет, мне пришлось затушевывать свои успехи и успока-

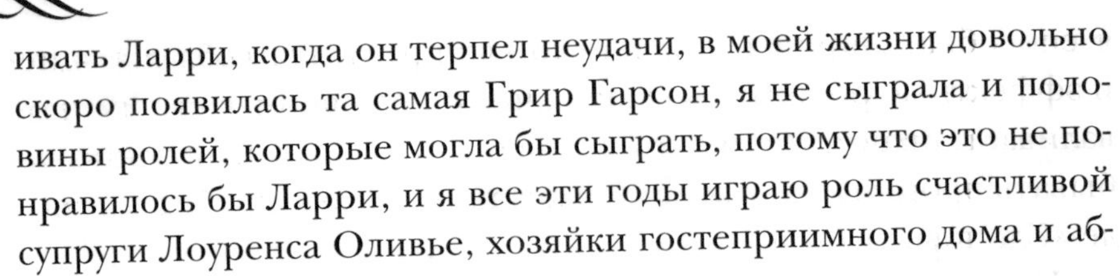

ивать Ларри, когда он терпел неудачи, в моей жизни довольно скоро появилась та самая Грир Гарсон, я не сыграла и половины ролей, которые могла бы сыграть, потому что это не понравилось бы Ларри, и я все эти годы играю роль счастливой супруги Лоуренса Оливье, хозяйки гостеприимного дома и абсолютно счастливой женщины и актрисы.

Играю... как же тут не быть эмоциональному выгоранию? Можно играть на сцене, опустошая себя к концу спектакля, как сосуд с вином, можно валиться с ног после работы на съемочной площадке, можно падать от усталости после великолепного приема, где продумана и организована каждая мелочь, выдержать несколько сложнейших интервью подряд, играть в тропиках или пустыне, хвататься за голову от объема текста, можно даже испытать фиаско или провал – все это мелочи, если ты знаешь, что дома тебя ждет любимый человек, который поддержит, успокоит и приласкает. А вот если и дома приходится играть роль счастливой супруги, замыкать свои эмоции на большой замок и улыбаться, когда хочется просто прижаться к плечу и пореветь, если всегда и везде нужно соответствовать образу счастливой Вив, любимой публикой супруги великолепного Лоуренса Оливье... Это слишком тяжело и у меня приводит к срывам.

Я люблю Ларри независимо от его успехов и неудач, от его характера, его вспышек гнева, даже его измен. Люблю и буду любить, даже если он будет с другой. Остается вопрос: стоит ли играть роль счастливой супруги? Ларри не может позволить мне разрушить этот образ, на нем в большой степени пока основан его успех, пара Лоуренс Оливье – Вивьен Ли – это имя, половинкам придется заново доказывать, что они чего-то стоят.

Удивительно, но я сейчас осознала, что Ларри уже начал это делать, он уже доказывает, что способен звездно играть сам. Никто не спорит, но почему тогда и мне не доказать, что

я способна? Ларри безжалостно выбирает для себя ведущие и эффектные роли (не моя вина, что он слишком часто их проваливает, правда, умудряясь заставлять критиков мгновенно забывать провалы), а мне организовывает всякую дребедень вроде «Слоновьей тропы».

Но теперь еще хуже – я получила «статус» сумасшедшей, у которой приступ может случиться в любую минуту, кто же рискнет связаться с такой актрисой? Джон Букмастер – талантливый актер, но из-за проблем с психикой у него нет предложений.

Есть два пути – смириться и остаться просто женой Лоуренса Оливье, терпя все, что судьба ни преподнесет, в том числе Грир Гарсон или кого-то вроде нее, либо развестись и еще раз начать карьеру и саму жизнь заново. Конечно, ни мне, ни Ларри пресса второго развода не простит, но Ларри будет легче – я же сумасшедшая... Интересно, какой путь для меня выбрал бы Ларри? Наверное, второй, не зря же он так старался убедить всех, что мне самое место в больнице доктора Фрейденберга.

А я сама, какой из двух путей выберу я? Быть женой Ларри или быть актрисой?

Третий! Я останусь женой Ларри и докажу, что я не сумасшедшая, что способна играть самые серьезные роли, в том числе и из репертуара великих трагических актрис, что я Вивьен Ли с большой буквы! Ларри, увидев меня на сцене в пьесах, например, Чехова, поймет, что недооценивал свою супругу. И дом будет по-прежнему гостеприимный, полный гостей, друзей, интересных личностей. И ребенка я рожу!

Я все сумею, я докажу всем, что я не неудачница Бланш Дюбуа, а великолепная Скарлетт!

Как это сделать? Я не буду думать об этом сегодня, я подумаю об этом завтра.

Алекс Корда позвонил неожиданно, расспрашивал о моем здоровье, планах, о том, чем занимаюсь. Похвалил за игру хотя бы в студенческих коллективах вместе с Джоном Гилгудом: «Актриса не должна простаивать, даже когда нет хороших ролей». Услышав, между прочим, что Лоуренс Оливье дает мне уроки актерского мастерства, предупредил:

– Ларри женат и очень счастлив...

– Да, я знаю, и Джилл тоже, хотя не без сомнений.

– Ты знакома с Джилл?

– Конечно, как и она с моим мужем Ли Холманом.

Не знаю, успокоило ли такое заявление Корду, но через пару дней я услышала предложение сняться в фильме «Пламя над Англией» вместе с Ларри! Я сумела сдержаться и не взвизгнуть и даже перед Холманом разыграла почти равнодушное спокойствие:

– Корда нашел для меня роль. Кстати, буду под присмотром своего наставника – Лоуренса Оливье.

– Джилл не взяли?

– Она беременна.

Это было правдой, Джилл решила попытаться спасти семью, родив ребенка.

Я чувствовала себя отвратительно, но внешне это никак не проявлялось, только настроение было мрачным. Нас с Ларри уже связывала невидимая нить, я знала, что она существует и день ото дня становится крепче, несмотря ни на что. Так почему же судьба ставила и ставила новые препоны?

Мне было стыдно перед Холманом, я видела, что он пусть и не влюблен в меня, но любит спокойной, ровной любовью то ли брата, то ли отца. Ответить на это чувство не могла ничем, кроме уважения. Да и оно с оговорками, горевшая театром и игрой на сцене, разве я могла внутренне не возмущаться человеком, который к этому почти равнодушен? Разве можно

сравнить божественное искусство лицедейства с его скучнейшими юридическими закавыками?

Я не могла ни на что надеяться, потому что у Ларри была жена, а теперь будет и ребенок, у меня тоже семья, но не думать о нем, не мечтать тоже не могла. Были ли это конкретные мечты? Конечно, нет, просто мечты... Но уже одно то, что я, жена Ли Холмана и мать маленькой Сюзанны, думала о другом мужчине, рождало внутри чувство вины. Что бы обо мне ни говорили позже, как бы ни называли капризной, эгоистичной, способной думать только о себе и о Ларри, способной добиваться своего, несмотря на чужие страдания, это только внешняя сторона. Никто же не знал, что чувствовала я в душе, как переживала, что думала...

Никто, даже Ларри, не понял, что своенравие и капризы скорее способ защиты даже от самой себя. Когда на тебя постоянно давят, есть два способа жить – во всем подчиниться и перестать быть собой или сопротивляться. Но сопротивляться тоже можно по-разному. Что толку было бы бунтовать в монастырской школе или даже в студии? Никто не обязан давать мне роль, как бы я ни была талантлива. Я быстро привыкла, что всего нужно добиваться, но научилась делать это так, что казалось – я постоянно требую свое.

Был и есть всего один человек, у которого я ничего не могу требовать, – Ларри.

Но тогда он был «чужим», он принадлежал Джилл. Господи, ну до чего же глупо, когда люди, решив объявить друг друга мужем и женой, должны расплачиваться за это всю жизнь! Узы брака... само название напоминает цепи, которыми люди связаны. Я не задумывалась над этим, когда выходила замуж за Ли Холмана, не слушала предупреждений мамы. Теперь предстояло пожинать плоды собственной глупости и неосмотрительности. И от понимания, что я устроила трагедию сама, становилось еще невыносимей.

Не помню, чтобы я задумывалась над чувствами Ларри, почему-то казалось, что не ответить на мою любовь он просто не может.

Так и случилось. Встретившись на съемках «Пламени над Англией», мы уже больше не расставались. Это были три лучших месяца в моей жизни, три месяца настоящего счастья, у кого бы повернулся язык сказать, что это не так? У нас с Ларри имелись семьи, у меня Сюзанна, а Джилл родила Тарквиния, но когда это сердце слушало укоры совести или уговоры соблюдать правила приличия? Мы были влюблены, мы горели этим чувством, словно «Пламя над Англией» захватило нас целиком.

О чем думал Корда, сводя нас в таком фильме, где бесконечные любовные сцены, впрочем, весьма целомудренные, ограничивавшиеся лишь объятиями и поцелуями, едва ли могли не перерасти в чувство даже у равнодушных друг к другу людей? Конечно, Ларри в первый же день заявил, что лучшая прививка от влюбленности и вообще хороших отношений – сыграть вместе любовь перед камерой:

– Закончится тем, что мы просто передеремся.

Я не собиралась не только драться с Ларри, но и вообще изображать равнодушие. Большего подарка моему сердечку Корда сделать не мог, но и худшего тоже. Наша влюбленность была не просто видна, она бросалась в глаза всей съемочной группе, в конце концов Корда был вынужден вызвать нас на «промывку мозгов».

– Я попросил бы вас держаться друг от друга подальше вне съемочной площадки. Не забывайте свои обязательства перед другими.

Алекс произносил жесткие упреки, а в его глазах читалось сочувствие. Мы не поверили упрекам, однако были вынуждены задуматься. Не все в жизни получается, как хочется.

Сразу после съемок Ларри уехал вместе с Джилл и Тарквинием на Капри, чтобы быть от меня подальше. Честное слово, тогда я нарочно не планировала следовать за ними, но где-то внутри эта хитрость уже замысливалась.

– А не поехать ли отдохнуть после трудных съемок в Италию?

Юристы не могут себе позволить просто так уехать в отпуск в любое время. Ли тоже не мог, зато смог Освальд Фрюэн. Он вызвался сопровождать меня в Рим и дальше. Даже я сама не знала, насколько будет это «дальше». Оливье позже не раз упрекал меня тем, что я якобы взяла его измором, приехав на Капри и появившись в отеле, где остановились они с Джилл.

Что ответить – что меня вела судьба? Что он мог бы просто презрительно усмехнуться, увидев меня в вестибюле отеля, и на этом все «преследование» закончилось бы? Что, в конце концов, и после этих нескольких дней, проведенных рядом под присмотром Джилл и Фрюэна, никто не заставлял Ларри звонить мне в Рим с сообщением, что он расстается с женой? Наверное, у них был резкий разговор, поскольку Ларри вдруг решился связать свою судьбу со мной, чего бы это ни стоило.

Вынудила ли я его на это? Нет, я просто сделала последнюю попытку, а уж Ларри предстояло решать, станет ли она последней в наших встречах или последней в его сомнениях. Я невольно продемонстрировала Оливье, что готова на безумные поступки, только чтобы побыть несколько дней рядом.

Джилл все увидела своими глазами и все поняла, Освальд Фрюэн тоже. Мы с Ларри могли сколько угодно делать вид, что соблюдаем правила приличия, нас выдавали блестящие глаза и готовность просто забыть о существовании своих семей. О чем думала я тогда? Могу совершенно точно сказать: ни о чем. Разве можно думать, когда верх берет сердце?

Но задуматься пришлось. Фрюэн вскользь бросил фразу:

– Как должен вести себя Ли?

Как? Я впервые задумалась над тем, как быть с мужем. Как поступила бы на его месте я, что сказала бы? Да, это удар, почти предательство, да, после стольких уступок, на которые он пошел ради меня, трудно ожидать понимания. К тому же есть Сюзанна... Но ведь Ли благороден, он, несомненно, поймет, что чувства, тем более столь сильные, как у нас с Ларри, не подвластны никаким доводам рассудка.

Мне казалось, что Ли будет печален, даже мрачен, даже обиженно-холоден, он не позволит поцеловать себя и в щеку, но, подумав, гордо произнесет:

– Что ж, очень жаль, но сердцу не прикажешь. Если ничего нельзя поделать, то я готов выполнить твою просьбу и дать развод.

Ли благороден, горд и добр одновременно, он не станет чинить препятствий только из чувства ревности или мести.

Кажется, мысленно я отрепетировала весь наш разговор, каждое слово за себя и за него. Ли Холман был в моем разговоре верхом благородства, а я верхом благодарного раскаяния.

Понимала ли я, что, по сути, предаю их с Сюзанной? Нет, никакого предательства, ведь я не уходила с другим ради какой-то выгоды, я влюбилась, выбрала Ларри по велению сердца. Это должна понять и Джилл, последующие поступки обманутых супругов представлялись мне исключительно благородными и обязательно в нашу с Ларри пользу.

И тут мне пришло в голову, что Ли вовсе не обязан быть столь терпимым, что он может воспринять мою влюбленность не как сердечный пыл, достойный одобрения, а как обыкновенный адюльтер! Ли может просто не согласиться на развод и будет прав! Как и Джилл, которая оставалась одна с ребенком!

Меня охватил ужас, расставание может вовсе не получиться красивым, более того, Ли, узнав об измене, добьется, чтобы моей ноги не было на сцене и в театре тоже, даже на премьеры не пустит и в кино запретит ходить! Да и Джилл не обязана входить в положение Ларри. Измена есть измена, по любви совершена или нет, обществу все равно, сколько ударов в секунду делает мое сердце при виде Ларри и сбивается ли его дыхание при виде меня. У меня муж и дочь, у него жена и ребенок, этим все сказано. Восторги и сердцебиение приберегите для съемочных площадок, в жизни нужно быть ответственными перед другими людьми.

Чем больше я размышляла, тем больше понимала, что благородства, какое бывает в книгах и фильмах, ждать не стоит. А я сама была бы действительно столь благородна? Нет, не на месте Ли, а на своем собственном? Как бы я повела себя, узнав, что супруг влюблен в другую и просит развод? Отпустила бы — это я могла сказать с чистым сердцем. Но в том-то и дело, что отпустила не из благородства, а просто потому, что давно тяготилась нашей семьей сама.

Но я ошиблась, думая, что самым трудным будет разговор с мужем. Ли категорически отказался дать развод, однако не терзал меня. Куда трудней оказалось убедить в своей правоте маму. Конечно, она тут же вспомнила все свои предостережения, заявила, что категорически не желает слышать ни о каком разводе, что поддержит в этом Ли и будет настаивать, чтобы такой женщине, как я, в случае развода не оставляли ребенка. Против меня встала моя собственная семья.

Отец молчал, а вот мама...

В свое время она отговаривала меня от поспешной свадьбы, убеждая, что это шаг на всю жизнь, что нужно тысячу раз подумать, прежде чем идти под венец, что легче выйти замуж, чем потом развестись, что замужество не детские игры в куклы... Так же, как тогда доводы против раннего брака, теперь я не

слушала и доводы разума по поводу развала семьи и сумасшедшей любви.

Я понимала, чего недоговаривала мама: люби сколько сможешь, но не разводись, разумные супруги всегда могут договориться и не мешать друг другу. Мог ли Холман «договориться», то есть вести себя так же, как вел мой отец, – спокойно наблюдать, как его жена разъезжает по Европе с другим? Конечно, нет, Ли не мой папа, а я не мама, мне претила необходимость изображать счастливый брак, в то время как сердце рвется к Ларри. Нет, нет и еще раз нет! Я любила и была любима, а потому хотела быть с любимым, жить с любимым, видеть его каждый день, каждый час, иметь возможность называть его мужем.

– А если завтра ты влюбишься еще в кого-то?

Мамин вопрос казался дурацким, как я могу вообще кого-то замечать, если у меня есть Ларри?

Но самый серьезный разговор все же состоялся с Освальдом Фрюэном. Нет, не сразу после возвращения из Италии, хотя ему было что сказать и мне, и Ли. Мы поговорили позже, когда я уже определилась и ушла к Ларри. Все, что мне тогда сказал Освальд, что он предрек, сбылось, все!

Что именно?

– Вив, твое право разрушить семью, которой уже и без того нет. Твое право уйти к тому, кого любишь. Я не стану читать тебе мораль о непростительности такого поведения, слишком уважаю тебя и понимаю, что если ты так поступаешь, значит, иначе уже не можешь. Попробуй только подумать вот над чем.

Сейчас вы с Ларри влюблены, не мыслите жизни друг без друга. Не буду сравнивать его чувства к тебе и к Джилл, не буду говорить о том, что недавно ты считала, что влюблена в Ли. По глазам, по тому, как светитесь вы оба, понятно, что это нечто особенное. Но, Вив, поверь моему немалому жизненному

опыту и опыту тех, кто делился им со мной: влюбленность – это не на всю жизнь.

Такое не может продлиться больше пяти, от силы десяти лет. А что потом? Должны остаться дружба и уважение, иначе жизнь станет невыносимой и с недавно любимым человеком. Люди театра и кино в силу своей профессии не всегда верны своим супругам, ты должна понимать, что Ларри завтра может встретиться новая Грир Гарсон или Вивьен Ли, будешь ли ты готова принять это и простить? Заметь, я не говорю о твоей измене или влюбленности.

Во-вторых, попробуй понять, что именно влечет к тебе Оливье кроме влюбленности, то есть, когда она пройдет, что останется?

– Ларри мечтает создать театральную пару, подобную паре Лант–Фонтенн в кино. Король и королева английской сцены. Кроме простой влюбленности, у нас много общих интересов в театре, чего, к сожалению, нет с Ли. Я не влюбилась бы в Ларри, если бы у нас было что-то общее с Холманом, кроме дочери.

– Король и королева английской сцены... Я не театрал и не киновед, но подозреваю, что в совместной игре, как и в любом слишком тесном и постоянном сотрудничестве супругов, немало подводных камней и вероятность надоесть друг другу ничуть не меньше, чем у вас с Ли.

Почему Оливье не создал пару короля и королевы с Джилл? Насколько я знаю, она больше годилась в королевы, чем он в короли.

– Джилл надоела Ларри своими поучениями. Он говорил, что Эсмонд только и знала, что наставлять. Жена должна быть на шаг позади мужа.

– Это его слова или твои?

– Его.

— А как же королевская пара?

— Королева всегда на шаг позади короля. Вернее, в политике король первый, а во дворце царит королева. Я постараюсь сделать так же: на сцене пусть царит Ларри, а я буду королевой дома на приемах гостей. Ты можешь сказать, что и сейчас так, но сейчас мои гости не интересуют Ли, а его — меня, с Ларри все будет совпадать. Я очень надеюсь, что он сделает из меня настоящую актрису, а я создам дом, который будет славиться не только в Лондоне, и придам Ларри тот самый светский лоск, в котором он нуждается.

Фрюэн некоторое время смотрел на меня молча, потом вздохнул:

— Ты даже умней, чем я о тебе думал. Все хорошо, девочка, только что-то подсказывает мне, что не все так просто. В доме ты будешь царить, несомненно, а вот на сцене держаться на шаг позади может не получиться. Как только поймешь, что Ларри ревнует тебя к успеху, либо сделай этот самый шаг назад, либо уходи от него. Оливье очень талантлив, но он очень любит и ценит себя, прежде всего себя.

— Я тоже люблю и ценю прежде всего его.

— А должна себя...

Конечно, я не слушала ничьих слов, потому что у меня был Ларри. Нет, дело не в обещании сделать из меня королеву сцены, а просто в том, что я была и до сих пор без ума от Лоуренса Оливье. Что бы ни случилось дальше, как бы ни повернула жизнь, под каким микроскопом по совету доктора Марион я тебя ни разглядывала, Ларри, я все равно буду тебя любить!

Обидно, что Фрюэн оказался прав, через пять лет у нас начался кризис... И Грир Гарсон в моей жизни тоже появилась, и звездная пара Оливье–Ли существует только нашими усилиями, встать с тобой рядом не получилось не столько потому,

что я недотягиваю до твоего уровня, сколько из-за того, что ты до него не пускаешь! Ларри, я давно выросла из коротких штанишек твоей ученицы, хотя учиться буду всю жизнь, нельзя сказать, что ты этого не заметил, напротив, заметив, тут же поторопился развести наши сценические пути.

Освальд прав, влюбленность прошла, детей нет, дружба так и не сложилась, ученичество закончилось... Что осталось? Только игра в счастливую звездную пару Лоуренс Оливье – Вивьен Ли. Мы играем, и играем талантливо, нашей игре верят не только жадные до скандалов и сплетен репортеры, верят многие друзья. А может, и мы сами верим, Ларри? Если долго играть роль, с ней можно сжиться. Значит, беспокоиться нечего, продолжай играть еще лет десять, а там привыкнешь окончательно...

Но зачем тогда отправлять меня на Цейлон с Финчем, отказываясь от игры со мной в одном фильме?

Я снова скатываюсь к обвинениям, а этого делать нельзя. Когда-то я сама решила свою судьбу, сама выбрала именно такой путь, теперь остается по нему следовать до конца. И я проследую, только не нужно отправлять меня к доктору Фрейденбергу. Я справлюсь с приступами, Марион сказала, что будет достаточно понять, из-за чего они начинаются.

Мы все-таки сделали этот решительный шаг! И тут же превратились не просто в изгоев, а в настоящие ходячие мишени для указывания пальцем: вот как не должны поступать порядочные люди! Лоуренс Оливье оставил жену с крошечным сыном, а Вивьен Ли добропорядочного мужа с маленькой дочкой!

Нет, это произошло не после поездки в Италию, после нее мы еще два года встречались тайком, попросту наставляя рога своим супругам. Ужасное и одновременно счастливое время! Наверное, когда люди не могут жить вместе, им этого хочется

куда сильнее, чем когда обретут такую возможность. Невозможность что-то получить или иметь у меня обязательно рождает жгучее желание обладать этим невозможным. Ларри как супруг и постоянный партнер на сцене был пока недостижим, с одной стороны, из-за семейных обстоятельств, с другой – из-за разного уровня игры, а потому я просто сгорала от желания добиться именно этого.

Глупости? Ничуть. Я не стыжусь в этом признаться, потому что не просто добилась, но и всегда считалась прекрасной женой Ларри и хорошей актрисой. Не моя вина, что король сцены не слишком хочет играть вместе с королевой. Но об этом позже.

Нас шельмовали, а мы были счастливы! Правда, Ларри ловко удавалось скрывать адюльтер от общественности. Подозреваю, что общественности пока еще было все равно, просто актеры не слишком известные, не слишком удачливые живут вместе, бросив свои семьи? Аморально, но нация не проводила демонстрации против. Это позже, в Америке, когда Ларри уже сыграл Хитклиффа в «Грозовом перевале», а я – символ Америки Скарлетт в «Унесенных ветром», за нас взялись.

– Никакого адюльтера! Пока не разведены, жить вместе нельзя!

В Англии мы жили вместе, я ушла от Ли с Сюзанной, а Ларри от Джилл с Тарквинием. Удивительно, но сначала Ларри позволял мне видеться с дочерью только в своем присутствии, а потом – наоборот, только без него. Сам виделся с Тарквинием часто и у Джилл.

Джилл и Ли давать разводы не торопились. Через месяц я, как и обещала, написала Холману о своем окончательном решении, умоляла понять и простить. Ли ответил, что даст развод... когда-нибудь... года через три... Я думаю, что он действовал под влиянием Джилл и Фрюэна. У Джилл был свой расчет, потому

что она оставалась одна с ребенком и хотела получить гарантии хороших алиментов. Фрюэн наверняка советовал Ли просто потянуть время в надежде, что я «перебешусь».

Возможно, так и было бы, но Ларри предложили сняться в Голливуде, там он сначала ссорился с режиссером, а потом подвернул ногу настолько сильно, что пришлось встать на костыли. Я немедленно отправилась следом. А уж там...

Но о роли Скарлетт нужно рассказывать отдельно.

Главное – мы были счастливы и полны надежды, что удастся решить вопросы с супругами, добиться признания своей игрой и создать королевскую пару английской сцены. У нас все впереди, а счастья хватало и посреди неприятностей. Счастье удивительная вещь – если оно есть, все остальное не имеет значения, а вот если куда-то уходит – исправить не удается никакими усилиями.

Моя подруга говорит, что все дело в любви. Моя любовь никуда не делась, что бы ни происходило, я люблю и буду любить Ларри, а он меня?.. Не знаю... Но все изменилось, настоящей пары Вивьен – Ларри больше нет, есть только пара для всеобщего обозрения, зовется она Оливье – Ли и с первой имеет не так много общего, увы... Это игра, талантливая игра для всех, даже для друзей. Умные понимают, но никто не осуждает, за что я им благодарна.

СКАРЛЕТТ

По пути в Рим у меня побывала Марион. Почитала записи и осталась не очень довольна, вернее, очень НЕдовольна!

– Если вы будете подробно описывать каждый чих своей кошки, то никогда не доберетесь до сути.

– А в чем суть?

– То, что написано, больше похоже на автобиографию. Вам нужен разбор причин, а не описание самих событий. Биографию можете продолжать писать, но для достижения результата, о котором мы говорили, этого мало. По крайней мере, вставьте ответы на вопросы, которые я набросаю.

В результате у меня несколько листов с вопросами или сентенциями. На вопросы нужно честно ответить (Марион сказала, что, если я не захочу, могу не показывать ответы), а с сентенциями либо согласиться, пояснив почему, либо сомневаться, тоже взвешивая все «за» и «против», либо категорически отвергнуть, доказав, что это не так. Причем попытаться посмотреть на ситуацию максимально отстраненно.

Честно говоря, мне по душе писать так, как я писала, – что придет в голову. Но я обещала, значит, выполню.

Вопросы только на первый взгляд выглядят безобидно, по сути, они провокационные. Не поссоримся ли мы с Ларри

окончательно после ответов? Сентенции еще резче. «Лоуренс Оливье – сноб». Ну и что? Без снобизма он не был бы Лоуренсом Оливье – королем английской сцены.

Марион не называет Ларри Лоуренсом Оливье, она и меня не называет Вивьен, в ее вопросах и утверждениях просто Он и Ты. Видимо, это попытка заставить меня отстраниться, хотя как можно отстранить меня от Ларри? Хорошо, попробую...

«В первую же минуту, как ты его увидела, он стал объектом твоих мечтаний и тайных желаний...»

Ничего нового, это можно сказать обо всех влюбленных.

«Тебя влекло с такой силой, что противиться невозможно...»

Могу добавить, что и его тоже, хотя Ларри увидел меня несколько позже, чем я его. Но о влечении все верно – противиться невозможно.

«Он неотразим, воплощение мечты, единственный, кто способен поглотить твою жизнь без остатка. В ушах звон свадебных колоколов с первой минуты, хотя ты понятия не имела, каков его семейный статус...»

Господи, о каком семейном статусе, его или своем, можно было думать, увидев Ларри?! Конечно, не думала, просто вспыхнула, как сухой стог сена.

«Удалось разрушить вокруг себя все, но соединить собственные судьбы...»

Почти так, но я не жалею. Развалин и впрямь хватало, причем приходилось тщательно скрывать от прессы свое «незаконное» положение, иначе никаких ролей не видеть. Английская пресса умеет удивительно метко лепить ярлыки и низвергать в пропасть. Бросив свои семьи, мы с Ларри стали жить вместе! Ну разве можно пропустить такой повод ошельмовать молодых актеров. Нас спасло только то, что известности еще не было,

раздувать скандал вокруг маленькой рыбешки акулы прессы не стали, а ведь стоило лишь запустить одну статью и...

Тогда бог миловал. Вот как полезно быть мелочью, недостойной внимания репортеров. Ларри положение «мелочи» не устраивало, но он понимал, что пока лучше не привлекать к себе внимание, пусть несколько улягутся страсти.

Честно говоря, страстей не было, Джилл еще раз поговорила со мной, пытаясь понять, что я вообще что-то вижу сквозь розовые очки, убедилась, что предпочитаю не считать шишки на чужом лбу, а набить свои собственные, причем каждую гигантских размеров, напомнила, что Ларри обязан содержать Тарквиния и видеться с мальчиком, чтобы тот знал, что у него есть папа. Мы расстались приятельницами, конечно, эта дружба не могла продолжаться, Ларри бы не позволил, но и вражды тоже не было.

Ли я обещала написать о своем окончательном решении через месяц. Наши супруги вели себя исключительно корректно, хотя на развод не согласились. У Джилл и Ли были свои соображения. Надеялся ли Холман, что я вернусь? Если это и так, то ничего хорошего не получилось бы, потому что и мое чувство вины, и его чувство превосходства (Ли никогда не говорил о таком, но я понимаю, что оно должно быть) превратили бы жизнь в ад.

Но нам и в голову не приходило, что возможен возврат к прежней жизни, мы жили друг другом и сценой. Мы понемногу играли, понемногу снимались, много читали и много беседовали. Ларри учил меня играть, учил тому, чему сам совсем недавно научился у Джилл. Постепенно выяснилось, что у самого Оливье немалые пробелы в образовании, это неудивительно, если вспомнить, что он почти до всего доходил сам. Какое мне доставляло удовольствие тоже что-то давать Ларри, кроме домашнего уюта и развлечений! Мы сумели выбраться в Венецию, и я с огромным удовольствием сумела помочь своему возлюбленному ознакомиться с шедеврами живописи, архитектуры, показывала картинные галереи, рассказывала о храмах... Нашлось то, чем я могла отблагодарить Ларри за его учебу и заботу обо мне.

А еще в это время вышла книга, сыгравшая в моей жизни огромную роль, – «Унесенные ветром». Скарлетт захватила меня с первых строчек, я мгновенно поняла, что, если когда-то будут ставить такой фильм в Англии (а я не сомневалась, что будут, уж очень хороша книга!), Скарлетт О'Хару должна играть только я! Я заболела этой книгой и ролью настолько, что подарила по экземпляру всем своим друзьям и однажды во всеуслышание заявила, что сыграю Скарлетт!

Надо мной весело посмеялись, тем более произошло это в большой компании во время обсуждения будущего фильма. Дэвид Сэлзник купил права на экранизацию романа, которым зачитывалась не только Америка, но и половина мира. Для американцев Скарлетт мгновенно стала национальной героиней, а Сэлзник еще и объявил настоящий конкурс на главные роли Скарлетт и Рэтта Батлера. Кандидатками называли всех голливудских звезд и просто известных актрис.

Я просто умирала от желания сыграть Скарлетт! Но Глиддон, а за ним и Алекс Корда только отрицательно качали головами: англичанке сыграть символ Америки не стоит и надеяться. Да еще и не имеющей опыта работы на съемочной площадке.

Меня не принимал всерьез никто, а вот Ларри некоторые даже прочили роль Рэтта. И однажды я высказалась, громко объявила в присутствии большого числа собравшихся, что Ларри не будет играть Батлера, а вот я сыграю Скарлетт! Посмеялись с оттенком снисходительности, мол, чем бы дитя ни тешилось, лишь бы не вешалось, пусть мечтает, в конце концов, об этой роли мечтают не только актрисы, но и каждая аме-

риканка от шестнадцати до шестидесяти, если не хрома на обе ноги, не слепа и не горбата.

Ларри посмеялся вместе со всеми. Но тогда оттенок превосходства моего Ларри еще не перешел в откровенную насмешку, а потому он даже пообещал замолвить за меня словечко перед своим американским агентом Майроном Сэлзником, между прочим, братом Дэвида. Майрон только что нашел для Ларри замечательную роль в «Грозовом перевале» – фильме по книге, которая в Европе была столь же популярна, как в Америке «Унесенные ветром». Эмили Бронте зачитывались все от мала до велика, и играть в фильме, пусть и голливудском, по этой книге означало мгновенно стать популярным.

Нет, я не завидовала Ларри из-за его роли Хитклиффа, я сознавала, что это заслуженно, но мне так хотелось быть с ним рядом! Несколько месяцев съемок... для влюбленной идеалистки это немыслимый срок! А вдруг он там встретит кого-то, кто сумеет завоевать его сердце?! А вдруг за время съемок он передумает и вернется к Джилл?! Да, в конце концов, я просто не могла долго быть без обожаемого Ларри. В Англии и без того часто пасмурно, а с его отбытием солнце вообще перестало показываться из-за туч, во всяком случае, я не замечала, чтобы оно светило. На сердце и в настроении тоска, нет, даже просто мрак, черная дыра, поглощающая все.

Сомнения, терзания, страх, переживания из-за того, как там Ларри, что ест, как спит (с кем спит, не думалось), как ему дается роль, ладит ли с режиссером, как актеры... О, я прекрасно понимала, каково на площадке, очень хотела бы поддержать, но боялась быть навязчивой.

Ларри играл одну из главных ролей у знаменитого режиссера Уильяма Уайлера, который даже нарочно побывал у нас дома, чтобы убедить Оливье принять предложение. Лоуренс был в восторге, хотя старательно скрывал это: его, как настоящую звезду, уговаривал сам режиссер, причем уговаривал не просто между делом при случайной встрече или после банкета, а приехав в Лондон!

В начале ноября 1938 года (в мой день рождения!) Ларри отбыл на «Нормандии» к берегам Америки на съемки. Я крепилась, как могла, махала ему платочком с причала, не позволяла литься слезам во время прощания, сберегая их на потом... Но факт оставался фактом – Ларри в Америке и с хорошей ролью, а я в Лондоне без ничего. Да, я вдруг оказалась свободна, потому что спектакли абсурда, которые наперегонки бросились ставить по примеру Кауарда, долго не держались. То, что при этом критики робко хвалили мою игру, положения дел не спасало, играть было просто нечего, а без Ларри я и вовсе потерялась...

Еще хуже стало, когда из Голливуда стали приходить письма от Ларри. Все не заладилось с первых дней. Оказалось, что одно дело любезно беседовать с режиссером за чашечкой кофе у себя дома и совсем иное – подчиняться ему на съемочной площадке. Уайлер – режиссер «женский», он любит и умеет работать с актрисами, считая, что актеры справятся сами, но при этом немало требовал от них.

Ларри умудрился поссориться со своей партнершей, а потом с самим Уайлером. Ссора с продюсером Сэмом Голдвином едва не лишила его роли. Голдвин ругал Ларри за наигранность, излишнюю театральность и грим, больше подходивший для сцены, чем для съемочной площадки. Жалобы на всех сразу потоком выливались на меня в частых письмах.

В то же время мама, воспользовавшись отсутствием Ларри в Лондоне, решила поставить все на свое место, она даже не удвоила свои усилия, не удесятерила, она их усилила во сто крат, ежедневно, ежечасно, ежеминутно внушая, что я должна вернуться к Ли, который из благородства простит мне измену, хотя, наверное, заставит бросить сцену. Но это требование обманутого мужа вполне справедливо!

– Все же твой Ларри бросил тебя ради роли, которая, еще неизвестно, удастся или нет.

– Мама! Я сама настояла, чтобы Ларри отправился сниматься у Уайлера.

– Почему же он не добился роли и для тебя?

Мне хотелось кого-нибудь укусить.

Все решило письмо с сообщением о том, что Ларри сильно растянул связки и ходит на костылях. Ларри на костылях, а я сижу в Лондоне без дела?! Правда, совсем скоро начинались репетиции «Сна в летнюю ночь», но полмесяца сидеть в Лондоне, зная, что у Ларри проблемы?! О, нет! Я должна быть там.

Была еще одна причина, в которой я не сознавалась даже Ларри, хотя позже он догадался, – в Голливуде начинались съемки «Унесенных ветром», а актрисы на главную роль так и не было! На роль Рэтта уже утвердили Кларка Гейбла, но подобрать Скарлетт никак не могли. Сэлзник провел кинопробы, кажется, всех актрис, которые теоретически могли бы сняться в этой роли, но не выбрал. Потом Дэвид говорил, что его просто охватывало отчаяние. Купить за сумасшедшие деньги – 50 000 долларов – права на экранизацию, нашуметь на всю Америку, заставив всю страну обсуждать кандидатуры исполнителей главных ролей, и начать снимать без Скарлетт!

Это они не знали, что делать и почему никак не удается найти исполнительницу Скарлетт, я-то знала. Скарлетт – это я, и пока я не приехала в Голливуд, они никого не найдут.

Неделя на пароходе была посвящена Скарлетт, я до одурения вчитывалась в роман и даже репетировала перед зеркалом в туалете обольстительную улыбку героини. В моем распоряжении было всего пять дней, только пять или целых пять, чтобы обольстить сначала Майрона Сэлзника, а потом и его брата Дэвида и получить эту роль.

– Не получу – утоплюсь на обратном пути в Атлантическом океане!

В большом чемодане ехало платье – точно такое, каким должно быть платье на Скарлетт. И шляпка. И волосы я подкрутила по роли, прекрасно понимая, что все это ерунда, если Сэлзник не увидит Скарлетт в моих глазах, то не помогут никакие наряды.

Еще в Лондоне надо мной смеялись все, кто знал, что я мечтаю о роли, в том числе Ларри.

Это моя роль! С первого дня, как взяла книгу в руки, я знала, что это моя роль!

Ларри смеялся:

– Такие заявления может делать только полная дилетантка! Не имея никаких заслуг перед кинематографом, англичанка уверена, что способна сыграть символ Америки в американском фильме.

Он был прав, но я знала, что я еще более права. Пусть у меня действительно не было никаких заслуг, пусть я для кинематографа никто, пусть я англичанка, а на эту роль пробовались уже все звезды Голливуда, но я – Скарлетт!

И все же, сойдя в Нью-Йорке с трапа парохода и пересев на самолет в направлении Лос-Анджелеса, я забыла о Скарлетт, вернее, на первое место вышел Ларри. Я намеревалась хотя бы на те пять дней, что отведены мне на пребывание в Лос-Анджелесе, создать ему все условия, окружить заботой и лаской, отогреть среди пристрастных режиссеров, актеров и продюсеров. Ларри, я с тобой!

«Своим чрезмерным участием в его жизни ты пытаешься стать незаменимой, считая, что в таком случае он тебя не бросит», – это из Марион.

Если и верно, то не в тот раз, я летела в Америку на крыльях, хотя в действительности ползла на пароходе, прежде всего из-за Ларри, вернее, своей любви к нему. Даже Скарлетт

была на втором месте. Иногда я задумывалась, что было бы, запрети мне Ларри играть эту роль? Он мог запретить? Мог. Если бы у него сорвались съемки в «Грозовом перевале», Ларри мог улететь в Лондон и увезти меня с собой. Да и просто не представить тогда меня Майрону Сэлзнику.

Это не запрет просто так, но Ларри мог сорвать все, даже не прилагая больших усилий. Но он этого не сделал, нет, не из большого благородства, даже не из благодарности, а потому что не верил ни что я получу роль, ни что смогу сыграть. Дамский каприз, не больше. Ничего, пусть попробует вкусить настоящую работу в Голливуде, это не студия в Лондоне!

Ларри еще хромал, но костыли уже бросил, однако в Лос-Анджелесе я немедленно получила блестящий урок ханжества – от нас потребовали тщательно скрывать наши отношения! Даже в Лондоне, где многие знали наших Джилл и Ли, было легче. Жить врозь, встречаться только тайно и не блестеть глазами друг на друга.

Что мне оставалось, лазить по ночам в окно к Ларри, ходить в парике или представляться всем Джилл Эсмонд? Нет, было еще одно – все же использовать эти дни для получения роли Скарлетт.

– Ларри, я себе не прощу, если не попытаюсь.

Оливье согласился: один шанс из тысячи тоже шанс. А это именно так и было: один шанс из тысячи.

Майрон Сэлзник пообещал вечером представить меня своему брату Дэвиду, но встречу назначил довольно поздно в ресторане. Я сидела как на иголках, он что, намерен везти нас на студию посреди ночи? Но не могла же я требовать поторопиться, а Майрон явно не спешил. Мало того, он явно тянул время. Я все поняла – ему просто нужен повод, чтобы не выполнить обещание, немного погодя Майрон скажет, что к Дэвиду идти уже поздно, а завтра он занят, и послезавтра тоже, потом уедет

сам Майрон, а потом я. Англичанке не место даже на кинопробах фильма об американской любимице.

А Майрон Сэлзник словно нарочно рассказывал и рассказывал о тех актрисах, что уже прошли кинопробы и числятся в активе, пока Дэвид не решил, кто же будет играть эту роль.

– Но ведь съемки начались?

– Да, Дэвид сегодня снимает пожар в Атланте. Мы поедем посмотреть на это грандиозное зрелище.

Меня охватило отчаяние, я примчалась в Голливуд вовсе не для того, чтобы прятаться с Ларри от людей, и не для того, чтобы смотреть на съемки пожара, я хотела быть с любимым и сняться в кинопробах на долгожданную роль! Но приходилось улыбаться и даже делать задорный вид, не рвать же зубами салфетку и не реветь?

Мы беседовали и беседовали, а время шло... Мысленно я уже махнула рукой, решив, что Майрон не намерен знакомить нас со своим братом. И вдруг Майрон объявил, что, пожалуй, пора ехать.

– Куда?

– К Дэвиду. Вы же хотели показаться ему для роли Скарлетт.

– Но уже полночь!

– Самое время...

Майрон хитрее, чем мы о нем думали, он все рассчитал верно. Дэвид Сэлзник был вне себя, брат попросил о встрече, но сильно опаздывал, подожженные декорации Атланты уже догорали, а Майрона все не было. Дэвид был готов уехать, не дождавшись Майрона, как вдруг появились мы.

Вот от этого полноватого человека в больших очках с толстыми стеклами зависела моя судьба, не иначе, именно Дэвид Сэлзник, продюсер фильма «Унесенные ветром», должен решить, буду ли я играть Скарлетт. Мне бы с придыханием смо-

треть в лицо вершителю актерских судеб, а я не могла оторвать глаз от догорающих макетов домов. Что-то катастрофически завораживающее было в этой сцене пожара. Еще чуть, и приступят к работе пожарные, но пока пламя еще пожирало фанерные крыши и стены домов. Правда, ночь, и издали едва ли кто-то мог разобрать, что это фанера.

– Дэвид, позволь познакомить тебя с твоей Скарлетт...

Что это было – отсветы пламени пожара или в глазах Дэвида Сэлзника действительно читалось восхищение увиденным? Нет, он не разглядывал меня с ног до головы, не всматривался в черты лица, он смотрел на меня, как на Скарлетт, словно я только что вышла из этого самого пламени. У меня было такое же ощущение, еще чуть, и я смахнула бы с лица невидимую копоть...

А дальше пробы и неизвестность... Еще пробы и снова неизвестность...

Пять дней прошли, в Лондоне начались репетиции «Сна в летнюю ночь», если не вернуться вовремя, останусь без роли, но вернуться я уже не могла. В Лондон полетела отчаянная телеграмма, Гатри согласился заменить меня в спектакле. Я жертвовала отношениями в театре, но пока не имела ничего взамен. Приходить на съемочную площадку к Ларри категорически запрещено, видеться с ним можно лишь урывками, чтобы пресса ни о чем не догадалась. Росло отчаяние: да кто вправе вмешиваться в отношения двоих?! Только их супруги, но не более. Но диктовать свои условия в Америке я не могла. Случайно оброненная фраза, что в случае утверждения меня на роль придется снять для нас с Ларри дом, дала Сэлзнику почувствовать, что такое зубная боль обеих челюстей сразу:

– Только не это!..

Майрон оправдывал медлительность брата:

– Да его одни только женские организации съедят, если Скарлетт будет играть иностранка!

Позже Майрон рассказывал, что Дэвид несколько суток занимался тем, что просиживал перед экраном, повторяя и повторяя пробы оставшихся в финале четырех претенденток (сначала претенденток было несколько тысяч!), разглядывал огромные, в виде плакатов, портреты актрис, снова и снова повторял пробы со звуком...

Я для себя решила, что после Рождества вернусь в Лондон, потому что дольше ждать нечего. Ларри, конечно, меня жалел, но чуть посмеивался: неопытная англичанка решила тягаться с голливудскими звездами!

В самый Сочельник Кьюкор, бывший первым режиссером фильма, пригласил нас с Ларри к себе. Сам Кьюкор горой стоял за кандидатуру Кэтрин Хепберн, а потому я ничего хорошего не ждала. Ну и ладно, зато отпраздную Рождество с Ларри! Приняв такое решение, я даже успокоилась, по крайней мере, я сделала все, что смогла, чтобы получить заветную роль, даже пожертвовала ролью в театре.

– Решение принято.

Логичней было бы собрать всех, кому не удалось получить роль, и объявить сразу всем. Или Кьюкору доставляет удовольствие наблюдать за реакцией отчаяния или обиды отдельно у каждой? Я постаралась, чтобы мой голос не выдал ничего.

– И кто утвержден на роль Скарлетт?

– Мы выбрали вас.

Только сомкнутые губы не позволили закричать: «Что?!» Кьюкор улыбался:

– Это был очень нелегкий выбор, мисс Ли, надеюсь, вы не подведете.

Наверное, он говорил еще что-то, я не помню, бывают минуты, когда все сосредотачивается на одной-единственной мыс-

ли. В данном случае этой мыслью было: «Я буду играть Скарлетт!»

Это было прекрасное Рождество, хотя и далеко от Сюзанны и мамы с папой, зато с Ларри и утвержденной ролью-мечтой. Правда, мечту еще следовало воплотить, но у меня хотя бы была возможность это сделать.

Неожиданность подстерегала, как обычно, за углом. Сэлзник «выкупил» меня у Алекса Корды. Это означало, что я должна подписать долгосрочный контракт с ним. И тут начались вопросы...

Я заключила договор с Сэлзником за спиной Ларри. Но тому были причины.

Когда я сказала Дэвиду, что должна спросить согласие у Оливье, он несколько мгновений недоуменно меня разглядывал, а потом расхохотался:

– Насколько мне известно, Вивьен, вы миссис Холман, а не Оливье, и спрашивать согласие вам предстоит у Ли, а не у Лоуренса.

Я забормотала в ответ, что это временно, что мы намерены пожениться, как только получим разводы, что не наша вина в затягивании... Сэлзник выслушал мои сбивчивые оправдания, насмешливо улыбаясь, а потом поинтересовался:

– Вы уже сказали Ларри, что я предложил контракт?

– Нет.

– Вивьен, вы очень хотите сыграть Скарлетт?

– О, да!

– Тогда не говорите ничего Оливье.

– Почему?

– Он не даст согласия. Если все же проговоритесь, пусть он зайдет ко мне.

– Ларри не станет препятствовать моей работе, тем более он сам будет почти все это время в Америке.

– Станет, дорогая, еще как станет. Вы знакомы с Джилл Эсмонд?

– О, да, конечно!

– Считаете ее талантливой актрисой?

– Да.

– Я предлагал Джилл хорошие роли и выгодный контракт. Как вы думаете, почему она предпочла Голливуду и звездной карьере скромного Лоуренса Оливье?

Я возмутилась его словам «скромного Оливье», но Дэвид остановил мое возмущение жестом:

– Поверьте, тогда он был весьма скромным актером, мало что из себя представляющим. Не спорю, Оливье талантлив, возможно, даже гениален, но чтобы это проявилось, нужно найти роли, в которых он смог бы показать себя. В Голливуде таких ролей не было, а потому рядом с Джилл ваш обожаемый Ларри был никем. Когда я потребовал от Оливье работать с полной отдачей, а не просто присутствовать на съемках, он пригрозил разорвать контракт. Для нас это вовсе не потеря, но я никак не думал, что следом откажется подписать новый контракт и Джилл. Вы меня поняли, Вивьен? Ларри уже испортил карьеру одной женщине, не дайте ему испортить вашу.

– Но это будет нечестно по отношению к Ларри.

– Послушайте меня. Вы хотите сыграть Скарлетт?

– Очень хочу, я уже отвечала на этот вопрос.

– Хотите доказать своему обожаемому Ларри, что на что-то годны?

– Не только ему...

– Но прежде всего ему, я правильно вас понял? Тогда молчите о контракте, спросите разрешения у своего оставленного в Англии супруга, это вы обязаны сделать, а вот Оливье не говорите ничего. Да, утвердили на роль, но пока ничего не ясно...

Вы меня поняли? Вот когда сыграете свою Скарлетт, тогда можете сколько угодно преклоняться перед Оливье.

– Холман тоже не даст согласия.

Сэлзник нахмурился, но потом махнул рукой:

– На всякий случай напишите, если не даст, мы найдем выход, но только, умоляю, не советуйтесь с Ларри.

Ли действительно не дал согласия, он не хотел, чтобы я «пропадала в этой Америке», и считает Голливуд исчадием ада и негодным местом для приличной женщины. Возможно, в чем-то он и прав, но я не ради Голливуда здесь, а ради роли. Я действительно хотела сыграть Скарлетт с той самой минуты, как начала читать роман, ты об этом хорошо знаешь.

Сэлзник нашел выход, со мной просто заключили трудовое соглашение (оно возможно без согласия супруга), то самое, которое я подписала за спиной Лоуренса, понимая, что этого он мне не простит.

Но почему Ларри против? Это правда, что Сэлзник заявил Оливье: «Нельзя же быть дерьмом дважды!»? Ларри действительно помешал карьере Джилл только потому, что карьера в Голливуде не получалась у него?

Я была на грани отчаяния.

Ларри, ты же хорошо знал, что я не намерена оставаться в Голливуде, только сыграть Скарлетт и вернуться в Англию или быть с тобой в Нью-Йорке, если у тебя будут продолжаться спектакли на Бродвее. И роль Скарлетт для меня важна не столько из-за карьеры, вовсе нет, я мечтала о ней уже много месяцев. Это МОЯ роль, я должна ее сыграть и сыграла.

Как же объяснить тебе, что Скарлетт вовсе не помеха нам с тобой? Как убедить, что, сыграв роль, стану снова послушной девочкой, глядящей тебе в рот и готовой подчиняться во всем? Я попыталась, ты насмешливо обронил:

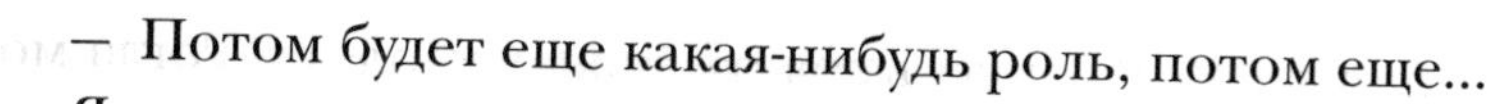

— Потом будет еще какая-нибудь роль, потом еще...

Я не виновата, что на роль Рэтта Батлера Америка выбрала Кларка Гейбла. Конечно, я бы с куда большим удовольствием сыграла с тобой, неужели это нужно повторять снова и снова? Но, Ларри, ведь ты же уехал сниматься в «Грозовом перевале»? Это очень удачная роль, очень, хотя сценарий мало соответствует роману, думаю, если бы снимали по самому произведению, получилось бы еще лучше.

Я очень скучала, но прекрасно понимала, что тебе нужна роль Хитклиффа, что она принесет мировую известность. Ларри, мировая известность нужна не сама по себе, тем более для тебя много важней театр, чем кино, но имя позволит привлекать деньги на театральные постановки. Ты же тоже это понимаешь.

Для меня главное не это, я не задумывалась, завоюю ли что-то вроде наград или славы за роль Скарлетт, я просто знала, что должна ее сыграть. Понимаешь, я столько раз мучилась, сидя в зале, когда видела, что актрисы на сцене или на экране совсем не таковы, какими я сама представляю персонажей, что уверена: не снимайся я в роли Скарлетт, даже не пошла бы на киносеанс, чтобы не страдать. Не сомневаюсь, что многие актрисы сыграли бы Скарлетт не хуже, а много лучше меня, что это было бы гениальное исполнение роли, но это было бы сыграно НЕ ТАК.

Не знаю, почему столь уверена, что Скарлетт О'Хара — это я и никто другой, что образ словно написан с меня, возможно, не такой, какой меня видят, даже не такой, какая я в действительности, но с меня. Нет, по характеру я не Скарлетт, очень многих ее черт во мне нет, многих моих нет у нее, но я готова слиться с этой ролью и быть Скарлетт столько времени, сколько будут длиться съемки.

Только позже я осознала происходившее в самой Америке и в прессе и поняла, какой подвиг совершил Сэлзник, утвердив на эту роль меня — англичанку без опыта съемок. Но главное — англичанку. Эдда Хоппер объявила в своей редакционной колонке, что этим Дэвид оскорбил каждую американскую актрису, если не американку вообще! Посыпались десятки интервью обиженных претенденток, феминисток, защитниц прав американских женщин. Они считали поступок Сэлзника пощечиной американкам и всему американскому обществу. Вот чего боялся Дэвид!

Помощь пришла, откуда не ждали — какая-то очень влиятельная женская организация (реакции которой с содроганием ожидал Дэвид, уже предвидя призывы к бойкоту фильма и давление на автора книги) вдруг выступила в мою защиту. Позже, узнав причину такого благоволения, Сэлзник хохотал до упаду: южанки были счастливы, что роль Скарлетт не досталась «этим самоуверенным северянкам»! Вот так неожиданно вновь вспыхнувшее «противостояние» Юга и Севера обернулось в мою пользу. Лучше англичанка, чем янки!

Два года подготовки, доскональное изучение эпохи, в результате которого художники по костюмам, создатели декораций, репетиторы движения, даже специалисты по лошадям знали ее лучше, чем сами жившие в то время. Было продумано, кажется, все, оставалось только сниматься.

Первые дни казались сказкой, все получалось прекрасно, работать с Кьюкором мне очень нравилось, мы с ним были влюблены в роман и знали его почти дословно. Но потом начались проблемы, у Кларка Гейбла с режиссером что-то не сложилось, Сэлзник заставлял без конца переделывать сценарий или вообще переписывать уже отснятые сцены, график съемок

«Энергии Скарлетт могли бы позавидовать все женщины. Моей собственной в те годы тоже. Впереди счастливая семейная жизнь и много замечательных ролей! А как же иначе?»
Вивьен Ли. 1939 г.

«Я сыграла немало «костюмных» ролей и очень любила их. Эту любовь мне привил Лоуренс Оливье. Но дорогие костюмы не гарантия успеха, фильм в прокате провалился».

Вивьен Ли в роли Клеопатры. «Цезарь и Клеопатра». 1945 г.

«А вот эта роль Синтии в «Пламени над Англией» решила мою судьбу – именно на съемках мы с Лоуренсом влюбились друг в друга».
Вивьен Ли. 1936 г.

«Так смотреть леди Гамильтон могла только на своего обожаемого адмирала Нельсона. А я на своего Лоуренса Оливье. Тогда Лоуренс еще с удовольствием снимался вместе со мной и играть влюбленных было совсем нетрудно».

Вивьен Ли в роли леди Гамильтон. 1941 г.

«...Но потом нашему сотрудничеству он стал предпочитать работу с другими. Например, с голливудской красавицей Мэрилин Монро в фильме «Принц и танцовщица». Жаль, потому что в театре главную женскую роль в этой пьесе исполняла я».
Вивьен Ли и Лоуренс Оливье встречают Мэрилин Монро и Артура Миллера в аэропорту Лондона. 1956 г.

«Лоуренс считал главным для актера театр, не приветствуя игру в кино. Под его влиянием и я нередко отказывалась от киноролей. Но на съемки в фильме «Мост Ватерлоо» дала согласие – и не пожалела: это одна из самых успешных моих картин».
Вивьен Ли. 1940 г.

«А вот «Корабль дураков» не приняли ни критики, ни зрители.
Фильм провалился в прокате,
хотя роль мне удалась».
Вивьен Ли в своем последнем фильме. 1965 г.

«Два «Оскара» и десятки сыгранных ролей – много это или мало? Не знаю. Могло быть гораздо больше, но жизнь распорядилась по-своему...»

Вивьен Ли. 1967 г.

трещал по швам, все нервничали, продюсер принялся менять режиссеров...

Иногда доходило до абсурда. Сэлзник, которому не сиделось в кабинете, влезал во все мелочи съемок, часто туда, куда лезть вообще не стоило. Однажды ему совсем не понравился мой бюст в очередном костюме. Началось настоящее сумасшествие. Вместо того чтобы снимать, мы тратили время на примерки, после каждой из которых Дэвид крутил носом и требовал:

– Выше!

Лямки подтягивали.

– Левее!

Что-то перетягивали на спине...

– Нет, теперь ниже!

Отпускали...

– Полнее!

Спешно подпихивали вату...

Доведенные до отчаяния портные просто сбились с ног. Были испробованы самые немыслимые подкладки от ваты до какого-то особого поролона, но продюсера не могло удовлетворить ничто! Никто не понимал, чего же он хочет, а Сэлзник и сам не мог объяснить, каким видит бюст Скарлетт. На съемочной площадке принялись шутить, мол, фильм не состоится, потому что у главной героини не то вымя.

Понимая, что следующим будет корсет, в котором я не смогу двигаться, я рискнула сделать по-своему:

– У меня есть идея! Сейчас вернусь.

Когда я снова вышла на площадку, Дэвид издал вопль папуаса, попавшего бумерангом в кенгуру:

– Великолепно! Что вы с ним сделали?!

– Ничего. Дэвид, это просто я, понимаете, я сама, какой меня создала природа, безо всяких накладок.

Хохотали все. Дэвид тоже...

Но не все проблемы можно было решить даже с юмором. Обидно, что львиную долю времени и энергии, несмотря на колоссальную подготовку, приходилось тратить на внутристудийную борьбу. Я, к счастью, не знала, что творится за нашими спинами. Почувствовав свою оплошность, глава «МГМ» Майер, не так давно отказавшийся от прав на экранизацию «Унесенных ветром», решил вернуть съемки себе. Надежда на это была, поскольку часть средств в производство вкладывала именно эта компания. Действовать решили с помощью своего человека в фильме – Кларка Гейбла!

Я не могу уважать Кларка, сколь бы ни был он велик как актер (хотя сомневаюсь и в этом), потому что как человек он поступал отвратительно! Прийти на уже налаженные съемки и начать все разваливать. Гейбла ждали, как настоящую звезду, он появился не сразу, мы уже несколько недель снимали сцены без него, сроднились, несмотря на трудности, срослись, стали понимать друг друга с полуслова, работали едва ли не сутками, когда «звезда», покидавшая площадку ровно в 18.00, даже если сцену не успели доснять, вдруг объявила, что не может работать с Кьюкором! Я понимаю, Кларк хорош, он имел права требовать четкой организации работы, но ведь съемки не офис и не фабрика, где существуют звонки, обозначающие окончание рабочего дня.

Мы с Оливией де Хэвиленд, игравшей Мелани, были в отчаянии, но Кларк Гейбл – звезда, а мы всего лишь актрисы, Кьюкора заменили на Флеминга, к тому же снова начались переделки сценария, вовсе не улучшавшие его, как потом выяснилось, ради простого закрытия фильма и передачи прав в «МГМ». Естественно, Кларк Гейбл оставался со своей ролью, а остальных ждала незавидная участь провалившихся. Можно быть великолепным актером и красавчиком, но при этом не стоит быть дрянным человеком.

У зрителей и членов съемочной группы разный взгляд на кино и друг на друга. Зрители видят только результат, не подозревая, что за ним стоит. Публике может нравиться внешность актера или актрисы, их экранные образы, но люди по ту сторону экрана редко подозревают, что значительная часть образа создана не самим актером, а теми, кто с ним работает. Дело не в костюмах или гриме, хотя и от них многое зависит, а еще и в режиссуре, работе оператора, монтаже, освещении, в конце концов.

И вот то, как воспринимают актера, сыгравшего настоящего героя, те, кто помогал ему создавать образ супермена, часто противоположно этому образу. Есть немало «героических» актеров – трусов в действительности. Не секрет, что Хэмфри Богарта терпеть не могли многие на площадке, что к по-английски сдержанному Рексу Харрисону не стоило подходить за автографом, можно получить порцию нецензурной брани, что у Монро невыносимы опоздания, а многие звезды способны нести прямо перед камерой страшную отсебятину, подыграть которой невозможно... О пьянстве и говорить не стоит, у Богарта непременным условием давно был стакан коньяка на столике подле его стула. К концу рабочего дня Хэмфри едва держался на ногах от «подкрепления»...

Кларк Гейбл был неуверен в себе и пытался скрыть это под маской холодной презрительности. Он был «МГМовский», что не находил нужным скрывать. Но оказалось, что за спиной Гейбл еще и боролся за закрытие нашего варианта фильма и передачу его на свою студию!

Наше с ним знакомство началось со ссоры! Плохо сработали клерки, перепутавшие время фотосессии, я пришла точно в назначенный срок, когда Гейбл, прождавший уже два часа, был вне себя от ярости. Он не собирался «играть вместе с этой дамочкой-англичанкой»! Хотя Гейблу объяснили, что поте-

рянные два часа не моя вина, Кларк был не в духе. Пришлось нахамить в ответ, да так, что у звезды отвисла его знаменитая красивая челюсть. Больше против меня Гейбл ничего не предпринимал, действовал за нашей спиной.

Я мечтала создавать так нравившийся мне образ Скарлетт, а приходилось то простаивать из-за чьей-то небрежности или сомнения либо переделывать уже снятое, потому что новый отрывок сценария вступал в противоречие со снятым позавчера, то раз за разом доказывать, что нельзя вольно обходиться с фразами из книги, они не бессмысленны: выбросив несколько ключевых, можно получить дурацкую мелодраму.

В редкие выходные мы с Оливией спешили к Кьюкору – пожаловаться на съемки, на нелепые изменения и требования, попросить совет, как играть следующие сцены, просто поболтать. Хорошо, что Сэлзник не знал о таких походах, не сносить бы нам головы. С Флемингом, заменившим Кьюкора по требованию Кларка Гейбла, отношения не сложились с первого дня не только у меня, режиссер заявил, что считает фильм мелодрамой, чем привел в ужас всех.

Однажды, обругав меня при всех нецензурной бранью, он исчез на два дня, казалось, фильм действительно будет закрыт, но Сэлзник пригласил еще одного режиссера – Сэма Вуда; остыв, Флеминг вернулся, но и Вуд остался, к ним присоединился Мензис, снимавший большие сцены. Вот это был кошмар – играть сразу у троих, каждый из которых видел Скарлетт и сцены с ней по-своему, требовал иной пластики и эмоций, причем делать это следовало в один и тот же день, потому что с утра съемки могли проходить у одного, днем у второго, а к вечеру у третьего. Звездному Гейблу такой вендетты не устраивали. Временами у меня создавалось впечатление, что Гейбл вообще не хотел сниматься в этом фильме, он словно искал по-

вод, чтобы сорвать либо фильм, либо свое в нем участие. И то и другое грозило нам не просто неприятностями, а потерей возможности работать дальше.

Где все это время был Ларри? Сэлзник, не желая, чтобы нас видели вместе («свободная Америка» не могла простить того, что мы до сих пор не разведены, доказывать, что это не наша вина, бесполезно), сразу после окончания съемок «Грозового перевала» постарался отправить Оливье в Нью-Йорк для игры в спектакле на Бродвее. Я обиделась, но не на Ларри, а на Дэвида Сэлзника!

С первого дня прочтения книги я жила этой ролью, мечтая сыграть Скарлетт, полгода я жила жизнью Скарлетт, но к лету мечтала только об одном – чтобы эта жизнь, наконец, закончилась! Творчество? О, да! В те моменты, когда работала камера или когда мы обсуждали с Кьюкором и Оливией эпизоды, я творила, я чувствовала себя совсем Скарлетт и одновременно божеством. Недаром «творить» и Творец от одного корня.

Но как же мало было этих минут по сравнению с другими – когда либо простаивали, либо занимались бессчетными переделками, либо просто бестолково спорили, либо делали не то! Из шести месяцев не больше двух оказалось именно игрой, остальное – мотанием нервов. К тому моменту, когда 27 июня 1939 года Флеминг скомандовал: «Стоп! Снято!», я уже ненавидела съемки и даже роль, но только не саму Скарлетт и не книгу.

Нас отпустили до августа, чтобы к осени переснять часть эпизодов, например, начальную сцену, потому что Сэлзник решил, что «цвет платья Скарлетт не вполне подходит». Я почти взвыла:

– Дэвид?! Я если я поправлюсь?

– Не вздумай ни поправиться, ни похудеть и уж тем более забеременеть!

Я больше не могла находиться в Америке. Домой, домой, домой!

Ларри усмехался:

– Ты снялась всего в одном фильме в Голливуде, теперь будешь знать, каково это.

Говорить о том, что этот фильм (четырехчасовой!) стоит нескольких и по продолжительности, и по накалу страстей, и по ожиданиям от него, не стоило. Мне хотелось одного: плакать. Но только поплакать дома, в Лондоне, пройтись по родным улицам, вдохнуть лондонский воздух, услышать речь без американизмов, просто отдохнуть, тем более через шесть недель нам предстояло вернуться, чтобы снова окунуться в атмосферу Голливуда – сумасшедшую, невыносимую, ужасную и... такую желанную! Верно говорят, что тот, кто хоть раз вдохнул запах кулис, будет болен театром на всю жизнь, кто услышал хлопушку на съемочной площадке, не сможет жить без кино.

Я снова отвлеклась, но это потому, что мне захотелось вспомнить Скарлетт – мою главную кинороль. Правда, получилось немного не то, я радостно ожидала начала съемок, репетировала, горела этой ролью, я жила жизнью Скарлетт полгода, билась за каждую реплику, которую хотели убрать, моя мечта исполнилась! Но когда съемки подходили к концу, больше всего хотелось услышать, что они закончены. А вот теперь, через много лет, вспоминаются разлады, споры, ссоры, происходившие на площадке.

Марион научила меня задавать вопрос «почему?».

Хорошенько подумав, я, пожалуй, могу ответить. Моя Скарлетт, ее фразы, жесты, ужимки, гримаски, счастье и отчаяние, радость и ужас, придуманная любовь к Эшли и ста-

рания выжить в том кошмаре, где она очутилась, остались со мной, они внутри меня. Роль изменила меня, хотя и сама не сразу это осознала. Нет, я не стала «звездой», хотя меня таковой назвали, но я стала другой – мудрее, крепче, я стала устойчивей к любым невзгодам, научилась бороться за себя и свою жизнь.

А все остальное – срывы, ссоры, неприятности – это съемки, они потому и запомнились, что закончены. Просто Скарлетт продолжается во мне своим упорством и жизнелюбием, а съемки остались в прошлом. Нельзя же вспоминать то, что есть сейчас?

А я и не буду, я подумаю об этом завтра.

Если честно, то не хочется вспоминать ни триумф после премьеры, ни даже вручение «Оскара». Фильм получил восемь статуэток и еще был на несколько номинирован. Однажды меня спросили, почему я редко вспоминаю о своих «Оскарах», особенно о первом, полученном за Скарлетт.

Что и говорить, достойная работа, а редко вспоминаю не потому, что устала от съемок или за это время было немало неприятностей, а потому что статуэтка оказалась костью в горле у моего дорогого Ларри.

Премьера «Унесенных ветром» превратилась в национальный праздник, в штате Джорджия даже объявили выходной, а Голливуд вел прямой репортаж из Атланты, где и проходила премьера. От всех шумных мероприятий я устала не меньше, чем от самих съемок. Сэлзник показал себя мастером рекламных кампаний, как перед съемками вся Америка выбирала кандидатуры будущих главных героев, так теперь вся Америка смотрела «свою Скарлетт». Даже самые отъявленные недоброжелатели прикусили языки, говорить что-то против фильма было равносильно самоубийству.

Меня радовало признание самой Маргарет Митчелл, что мы справились отлично, а еще то, что американцы забыли, что их национальную героиню (пусть и вымышленную) сыграла англичанка.

Пока у фильма шли шумные премьеры в разных городах, пока зрители осаждали кассы кинотеатров, а репортеры нашу съемочную группу (в большей степени меня), пока Ларри в газетах называли «мистером Скарлетт О'Хара», он скрипел зубами, но молчал. Никто не смог бы объяснить Ларри, как я умудрилась без его помощи и советов (сначала он был занят на собственных съемках, а потом играл на Бродвее) сыграть так, чтобы получить «Оскар».

Тогда Ларри был ко мне еще справедлив, посмотрев фильм, он честно признался, что удивлен, как я сумела. Я еще не была сильной театральной актрисой, но уже сумела прожить жизнь Скарлетт перед камерой так, что этим можно гордиться.

А потом объявили, что фильм выдвинут на «Оскара» по четырнадцати номинациям! В том числе и за лучшую женскую роль. Моими соперницами были Грета Гарбо, Бэтт Дэвис, Грир Гарсон и, кажется, Ирэн Данн. Ларри успокаивал:

– Ничего, дорогая, даже если не получишь «Оскара», уже одно то, что номинирована в такой компании, делает тебя звездой.

Звездой я стала и без номинации, потому что фильм окупил вложенные в него средства за первые месяцы, такого успеха не ожидал даже оптимист Сэлзник, фильм действительно стал событием года, далеко опередив все остальные, даже «Грозовой перевал». Я видела, как Ларри нервничает, ведь если бы не «Унесенные ветром», «Грозовой перевал» объективно мог стать лучшим.

Если бы я могла, я убеждала бы его, что мне просто повезло сыграть главную роль в главном фильме года. Но я сама так

переживала, что не сразу заметила недовольство Ларри. Я не сомневалась, что Ларри получит статуэтку за своего Хитклиффа, иначе и быть не могло, я-то знала, что Кларк Гейбл сыграл вполсилы. Сам Ларри тоже был в этом уверен, всех остальных он конкурентами не считал.

Он не получил «Оскара» за Хитклиффа в «Грозовом перевале», хотя очень на это надеялся. Если бы статуэтку дали Кларку Гейблу, можно было бы объявить, что победу одержал просто фильм, а не отдельные исполнители. Но Гейбл тоже не получил «Оскара», значит, Академия не поддалась очарованию фильма и книги.

Это было для Ларри ударом, который он скрывал с трудом. Когда объявили победительницу в номинации за лучшую женскую роль, Ларри еще радовался за меня:

— Ну вот, дорогая, ты и оскароносная актриса...

Сбывалась мечта Оливье о паре звезд, не сразу получилось в театре, начнем с кино.

Он даже приосанился, ожидая услышать свое имя, даже имя Кларка Гейбла разъярило бы его, но тут...

— Роберт Донат за роль мистера Чипса в фильме «До свиданья, мистер Чипс»!

Ларри даже побелел, а я не сразу поверила своим ушам. Роберт, конечно, хорош, но как же Ларри?!

Так испортить мне триумф нельзя, даже отдав статуэтку Кларку Гейблу! Весь вечер, фотографируясь рядом с Оливье, я прятала «Оскара». Но позже, под влиянием, шампанского и всеобщего восхищения во время вечеринки умудрилась подразнить тебя:

— У меня есть «Оскар», очередь за тобой, дорогой.

И... «Оскар» полетел в окно!

— Спустись на землю, как и твоя статуэтка. Ее получила не ты, а Скарлетт.

Ларри, даже если это так, если мне дали статуэтку за то, что образ любим американцами, за книгу, из-за умелой рекламной кампании Сэлзника, просто случайно, потому что перепутали имена..., все равно не стоило так унижать меня при всех. Ты мог дать мне пощечину (как бывало потом не раз) наедине, мог оскорбить как угодно, но, вот так отреагировав, ты унизил и себя тоже. Многие запомнили выходку Ларри и поняли, что она из зависти.

Мгновенно словно погасли все огни фейерверков, на яркие фонари накинули темную ткань, свет притушили – ты действительно вмиг опустил меня на землю, показав всем, что считаешь ничтожеством, волей случая вознесенным на вершину славы. Я все еще улыбалась, но внутри уже было темно. Если раньше мне нужно было доказывать, что я вообще могу играть, то теперь предстояло доказывать, что получила высшую награду не случайно, а это очень трудно. И кому доказывать – тебе!

Я так жаждала помощи, поддержки, одобрения, похвалы, наконец, признания того, что справилась, что достойна, а дождалась... «Оскара» в окно.

ПОСЛЕ СКАРЛЕТТ

Бог с ним, с «Оскаром»! Я даже не задумывалась, справедливо или нет твое пренебрежение моей наградой. Я сыграла роль, которую так желала, Скарлетт удалась, но стоило тебе сказать, что это не столь уж важно, что лишь в театральных ролях, и, прежде всего шекспировских, актеры имеют право говорить о настоящей работе, о настоящем успехе, как я согласилась. Конечно, кому, как не тебе, знать цену той или иной роли, ты прав: Шекспир, и только Шекспир – мерило актерского таланта и успеха!

Но ты твердил, что я до Шекспира просто не доросла.

Американские газеты по-прежнему захлебывались от восторга по поводу Скарлетт, а я уже почти ненавидела эту роль, потому что ее не ценил ты.

Ларри, сейчас я скажу то, что никогда не решилась бы высказать тебе в лицо. Дорогой, ты просто одержим демоном зависти. Ты умный, талантливый, гениальный, но почему же это мешает тебе замечать таланты остальных? Почему ты просто не способен радоваться удачам даже друзей, если только при этом они не хвалят самого тебя? Ты готов признавать кого-то только на шаг, полшага позади.

Но человек не может быть успешен во всем и всегда, и твоя гениальность вовсе не исключает гениальность того же Гилгуда. Не может на таланте одного актера держаться английский театр, не могут быть гениальными и правильными только твои постановки, твои трактовки ролей. Это ущербно, Ларри.

Раньше я этой ущербности не замечала, пока не начала анализировать свою жизнь, сопоставляя ее с твоей. Чем дольше этим занимаюсь, тем больше понимаю, что ты переедаешь себя, сжигаешь душу в ущерб обыкновенной зависти.

Ларри, ты жаловался всем друзьям, что мое отношение к тебе изменилось, и я сама тебе об этом сказала.

Да, изменилось, очень изменилось. Я разделила тебя надвое, отделила гениального, великолепнейшего, лучшего не только в Англии, но, наверное, и в мире актера Оливье и человека Лоуренса. К сожалению, вы не равнозначны. Актер Лоуренс Оливье просто Гулливер по сравнению с лилипутом человеком Лоуренсом. Это видят многие из тех, кто общается с тобой каждый день. Видела Джилл, об этом она меня предупреждала.

К сожалению, мои плотно закрытые от любви глаза не позволяли увидеть мне. Я не хочу, чтобы разницу заметили те, кто тебя боготворит, и сделаю для этого все, что смогу. Ты хочешь, чтобы тебя считали божественным во всем? Но быть Богом на земле чревато опасностью попасть туда, откуда я только что выбралась, причем безо всякой надежды выбраться. Богов у Фрейденберга целая палата.

Это не шутка, а серьезное предупреждение. Иногда мне кажется, что из нас двоих больший сумасшедший ты, а не я. Только ты умеешь внушать всем, что твое помешательство просто гениальность. Столь талантливому актеру простительно многое – смена убеждений на противоположные (вчерашнее было заблуждением, сегодняшнее сродни откровению свыше),

неудачи, даже провалы любых постановок или ролей (не поняли зрители, просто не доросли), финансовые крахи (поиски истины дороже любых денег), дурное настроение и особенно срывы его на других...

Я со всем согласна – ты человек ищущий, ошибки у творческих людей неизбежны, деньги не главное, и иногда хочется просто кого-нибудь покусать. Но почему это все можно лишь тебе? Я долго считала, что это потому, что ты гениален, это так, но ведь и гении должны замечать остальных живущих рядом. Не забудь, что сама по себе единица – всего лишь единица, а сотней и тем более миллионом ее делают стоящие позади нули. Нельзя до такой степени поднимать себя над толпой, Ларри, тебя и без того назовут самым талантливым актером современности, если ты того заслужишь. Однако не менее важно, чтобы тебя назвали и самым хорошим человеком, потому что иметь репутацию короля английской сцены и человека, с которым невозможно жить и работать, недостойно тебя.

Боюсь, что именно это и произойдет – ты останешься в памяти как гениальный актер и не очень хороший человек.

Я поняла это только сейчас и готова тебе помочь, если бы ты понял тоже, но даже заикаться об этом нельзя, потому пока буду молчать. Может, я ошибаюсь? Хорошо бы...

Сейчас, вспоминая нашу постановку «Ромео и Джульетты» на Бродвее, я многое вижу иными глазами, понимаю, зачем тебе вдруг понадобилось ставить Шекспира, да еще и такую пьесу. Тогда я ничего не замечала и не понимала.

Мы получили хорошие деньги за съемки в двух фильмах, у меня была перспектива стать голливудской звездой, снявшись еще в нескольких картинах, но все перечеркнула война, а вернее, сначала «Ромео и Джульетта».

Тогда я не задумывалась, зачем тебе нужен этот спектакль, вполне доверяя заявлениям, что этим американцам надо показать, что значит настоящий театр, что Шекспир, и только Шекспир – мерило настоящего актера, что Америка ахнет от твоей постановки. Для меня достаточно того, что ты будешь учить меня играть Шекспира!

Я помню изумление Кьюкора, твердившего, что это я могу дать тебе урок настоящей игры, что я должна больше полагаться на собственное ощущение роли, а не на твои слова, что у тебя можно брать только уроки актерской техники, все остальное не для меня.

Я верила Кьюкору во всем, не зря же тайно советовалась с ним во время съемок «Унесенных ветром», кроме одного – всего, что касалось тебя. Нет-нет, он просто знает тебя не так хорошо, как я! Разве можно сравнивать мой актерский дар с твоим, разве можно даже представить, что я способна тебя чему-то учить?! Тебя, который сама гениальность!

На постановку нужны деньги, потому что никто из продюсеров не желал вкладывать свои в эксперимент английского актера на Бродвее. Ничего, мы вложили все, что получили за фильмы! Казалось, что после первого же спектакля деньги вернутся сторицей.

Позвонила Марион и опять настаивала, чтобы я не просто вспоминала что-то, а именно сравнивала себя и тебя, свое положение и состояние и твое. Пришлось признать, что я несколько ушла от этой оценки, хотя во многом переоценила тебя заново. Ларри, я все равно очень люблю тебя, это не поддается никакой разумной оценке, это не во власти разума, это сердце. И мне очень трудно и переоценивать твои поступки и слова, и сравнивать нас, но я постараюсь. Прости мне это, понимание твоих ошибок и даже жестокости не уменьшает моей люб-

ви к тебе. К тому же я никогда не покажу тебе эти записи, это означало бы немедленный разрыв, причем разрыв жесткий, к чему я вовсе не готова.

Я снова сбилась. Попробую сравнить себя и тебя перед началом войны. Отзвучали фанфары в честь «Унесенных ветром», столь желанный для всех актеров «Оскар», конечно, еще не подпирал дверь спальни, как было чуть позже, но спрятан с глаз долой, потому что страшно раздражал тебя, начались обсуждения следующих ролей в Голливуде. В Европе уже шла «странная война», в которой Германия разделывалась с Польшей, а остальные страны сопели, изображая недовольство и ничего не предпринимая. Но за океаном это совсем не чувствовалось, Америка пока держала нейтралитет, тоже выжидая.

После объявления начала войны мама немедленно вылетела в Лондон, мы опасались, чтобы папа сгоряча не ушел добровольцем в армию, как бывший кадровый военный. Тебе в посольстве сказали, чтобы не нервничал, а меня Сэлзник попросту не отпустил.

О, Ларри, я помню волну насмешек с твоей стороны:

– Насколько ты помнишь, я был против твоего договора с «МГМ». Не будь ты такой упрямой и скрытной, сейчас могла бы улететь в Англию, а теперь сиди в Америке и снимайся в третьесортных фильмах, потому что англичанке, да еще столь неопытной, ни за что не дадут приличной роли в Голливуде!

Сейчас я бы возразила, что неопытная англичанка только что получила «Оскара» за символ этой самой Америки и что я куда более популярна, чем ты. Но тогда я чувствовала себя отвратительно – развода все не было, пять лет адюльтера, родные по ту сторону океана, где в любой день могут начаться бомбардировки, и никакой надежды, кроме съемок вместе с тобой.

Теперь мне кажется, что нас объединяло в Америке только то, что мы были иностранцами в трудные годы. Я уже говорила и могу повторить: отношение к мужчине, ушедшему из семьи и живущему с другой женщиной, куда более снисходительное, чем к женщине, оставившей ребенка и мужа ради любовника. Даже если эта женщина обожаема в роли символа Америки.

Пять лет адюльтера вымотают нервы кому угодно, все выглядело так, словно я тебе навязываюсь. Ларри, если бы ты тогда сказал, что не слишком хочешь развестись с Джилл и жениться на мне, я бы перенесла это тяжело, но смирилась бы и постаралась найти свое собственное место в жизни, но ты ловко увиливал от прямых действий, словно тебя вовсе не волновало наше ненормальное семейное положение.

Каков же был мой ужас, когда я узнала, что Джилл согласна на развод и оговаривает лишь финансовые условия! Она была права – Тарквиний болен, за ним нужен уход, что ограничивало Джилл в возможности много играть и сниматься, кто, как не ты – отец, – должен содержать больного ребенка? У меня была истерика – это не Джилл, а ты не торопился развестись!

– Ларри, умоляю, согласись на ее условия, я буду сниматься день и ночь, я заработаю на нас двоих, чтобы ты мог платить достаточные алименты!

– Нет! Пока она не согласится на приемлемые условия, я не подпишу ничего. Не хватает только, чтобы ты зарабатывала на мое содержание!

Я понимала, что тебя унижает сама мысль получать финансовую помощь от меня, как получал ее от Джилл, но почему ты не желал понять меня? За пять лет положения женщины, которой приходилось делать вид, что все в порядке, будучи просто любовницей.

– Тебе мало моей любви? Вы, женщины, странные создания, неужели столь важна бумага о браке или разводе?

– Если не столь важна, то почему ты так сопротивляешься? Ларри, я устала быть никем, устала прятать глаза, особенно здесь, в Америке, когда спрашивают о мистере Ли.

– Хочешь стать Оливье?

– Не хочу жить с чужим мужем!

– Но ты тоже чужая жена.

– Холман не дает развод, потому что его не дает Джилл.

– Для тебя так важен именно развод? Важно, чтобы я перестал быть чужим мужем?

– Да!

Сказала и испугалась, тогда впервые мелькнула предательская мысль, что, разведясь, ты можешь и не жениться. Ларри, в тебе для меня заключалось все: ты был любимым, обожаемым человеком, единственной моей защитой в Америке, но главное, ты был моим кумиром и богом на сцене, я ни во что не ставила ничьи советы, рекомендации и указания, ничье мнение – только твое! Если ты говорил, что это не стоит внимания, «Оскар» отправился в чемодан, хотя у остальных стоял на самом видном месте, твердил, что кино несравнимо с театром, я выбросила из головы надежду стать звездой Голливуда, говорил, что я не способна играть шекспировские роли – верила, что еще не доросла.

Но я верила в другое, Ларри. Ты обещал воспитать из меня настоящую актрису, которая сможет играть Шекспира, и я готова смотреть тебе в рот, ловя каждое слово мэтра, подчиняясь, забывая о самой себе. Наверное, если бы ты так и не получил развод или, разведясь, не женился на мне, я бы все равно никуда не делась, следуя за тобой, как верный пес за хозяином, послушная твоей воле.

Мне очень хотелось сыграть с тобой в одном фильме, чтобы ты увидел, что я могу играть, могу быть второй частью звездной пары Оливье–Ли, как мы мечтали с тобой еще недавно.

Ларри, я так хотела, так старалась соответствовать самым высоким требованиям во всем, но ты даже не замечал этого.

У меня «Оскар»? Мелочь, недостойная внимания. Мне рукоплещет Америка? Америка часто рукоплещет тому, что не является образцом хорошего вкуса. Твердят о моем несомненном таланте? Но талантлив лишь тот, чье дарование признано тобой, а ты не спешил признать мои способности. По твоему мнению, я не просто не дотягивала до пары Оливье – Ли, я была неумехой, которую предстояло учить и учить, и временами казалось, что ты совсем не желаешь этим заниматься.

А тогда мне вообще казалось, что весь мир ополчился против меня. Сэлзник явно делал все, чтобы разлучить нас, он не Корда и не желал давать нам роли в одном фильме, мотивируя это тем, что адюльтер сыграет против нас. В «Ребекку» взяли тебя, но не взяли меня, хотя у меня был договор, а у тебя нет. В «Гордости и предрассудках» по Остин, наоборот, мне предложили играть с Кларком Гейблом. Но Гейбл отказался, и он прав, появление на экране совсем недавно виденных Скарлетт и Рэтта сбило бы обе роли.

А что произошло потом? Я понимаю, что это Сэлзник постарался, он всегда был против нашей пары, предпочитая работать по отдельности. Роль Д'Арси в «Гордости и предрассудках» предложили Роберту Тейлору, но тот отказался, так как был занят в «Мосту Ватерлоо». Я не понимала уже ничего! Сценарий «Моста Ватерлоо» писался специально под нашу с тобой пару, как же можно отдавать главную мужскую роль Тейлору? Я хорошо относилась и отношусь к Роберту, он прекрасный партнер и человек, но нельзя же столь грубо нарушать обещания! Сэлзник явно старался разлучить нас с тобой.

Возмутиться не успела, потому что вместо Кларка Гейбла теперь пригласили тебя! Сэлзник даже обещал, что заменит меня в «Мосту Ватерлоо».

– Ну, ты довольна?

– Да!

– А Ларри?

Под насмешливым взглядом Сэлзника я только пожала плечами. Неужели Ларри мог быть недоволен тем, что нам предстоит играть вместе в достаточно серьезных ролях?

Сейчас я понимаю, что Дэвид Сэлзник был прав, наверное, со стороны виднее, а уж мужчине тем более.

Сэлзник не оставил попыток развести нас подальше, я не понимаю, что произошло, но роль Элизабет в «Гордости и предрассудках» отдали... Грир Гарсон! Даже если бы это была Марлен Дитрих, я отнеслась бы спокойней. Но с Грир несколько лет назад вас связывали нежные отношения, помнится, даже Джилл возмущалась этим. Сводить бывших любовников вместе в фильме тогда, когда у нас все и так висит на волоске?! Я ненавидела Сэлзника, а сейчас думаю, что он был прав. Лучше порвать тогда, чем тянуть столько лет.

Если бы ты знал, какое это мучение – видеть, как ты нежен с Гарсон, притом что она отвечает взаимностью! Полунамеки, общие воспоминания... у вас было о чем поговорить. Ты мог сколько угодно разыгрывать возмущение «коварством» Сэлзника, ты прекрасный актер, Ларри, но никакой актер не может обмануть женское сердце, оно может обмануться только само.

Легче всего обмануть того, кто сам желает быть обманутым. Я желала, а потому твердила себе, что ты действительно возмущен, что ваши с Грир нежности только ради роли, что мне все кажется, я просто ревнивая дура, недостойная такого великого человека, как ты.

Были еще две причины. Во-первых, мама сообщила из Лондона, что Джилл, а вместе с ней и Ли Холман согласны на развод, им надоело положение соломенных вдовцов. Правда, Джилл и Ли решили отыграться за все перенесенные страда-

ния и причиной разводов объявили супружеские измены. Ли обставил все максимально шумно, он отомстил за эти пять лет унижений, хотя мог бы оформить бумаги без привлечения внимания, мотивируя развод раздельным проживанием. Но я не в обиде на Ли, он слишком много перенес по моей вине, я получила от него то, что заслужила. С Ли мы остались в хороших отношениях, он и сейчас мой друг, один из самых близких и надежных.

Тебя вся эта шумиха не волновала ничуть.

– Нужно быть выше этих бытовых мелочей!

Ларри, называть бытовыми мелочами те страдания, которые мы причинили своим бывшим супругам и своим детям, едва ли возможно.

Но разводы означали, что после вступления их в силу мы сможем пожениться. Это совсем иная ситуация! Сэлзник твердил, что сниматься вместе нам мешает адюльтер, мол, американцы не простят сожительства даже любимым актерам. Казалось, стоит пожениться, и все препоны к совместной работе исчезнут.

Я была рада и обеспокоена сообщением о разводах одновременно. Радовалась, потому что это хоть как-то развязывало многолетнюю нелепую ситуацию. Опасалась, поскольку ты откровенно ухаживал за Грир Гарсон, это могло означать, что ты не собираешься жениться на мне, во всяком случае, не торопишься. Ларри, я понимаю, что для мужчин слово «жениться» вообще сродни «повеситься», а уж для того, кто раз был женат, тем более. Если к тому же вспомнить почти пять лет, которые мы прожили вместе, не будучи женатыми, то и вовсе начинает казаться, что оформление отношений ни к чему.

Я все понимала: что развод с Джилл тебе невыгоден по финансовым причинам, что не столь уж важен факт женитьбы, что тебя мало заботило отношение к адюльтеру американцев,

что мужчине вообще удобней быть свободным... понимала, что, если бы мы получили разводы сразу, новый брак был бы куда удачней и желанней, чем теперь, по прошествии стольких лет. Говорят, даже счастливые семьи после пяти лет совместной жизни подвержены опасности расставания, а мы даже семьей не были.

С твоей точки зрения следовало бы оставить все, как есть. И только порядочность и чувство ответственности передо мной, а также опасения испортить свой имидж могли заставить тебя оформить наши отношения.

Но замужество такой ценой меня не устраивало. Сама мысль, что после стольких лет унижений, вынужденной скрытности, оговорок, стольких жертв ты можешь меня предать, оставить одну, приводила в отчаяние. Казалось, к этому все шло, мы не снимались вместе, не играли в одних спектаклях, мы словно жили каждый своей жизнью, будучи связанными всего лишь гражданством другой страны. Я отдавала себе отчет, что расставание не просто возможно, но и желанно для тебя. Твое «возмущение» коварством Сэлзника, которому вовсе не нужна блестящая пара Оливье – Ли, было столь наигранным, что не убедило даже меня.

Я металась от надежды к отчаянию и обратно к надежде. Это сейчас я способна почти трезво оценить саму необходимость нашего брака, а тогда готова была кричать от отчаяния. Я обожала тебя и как мужчину, и как актера, любовь не спрашивает, стоит или нет, нужно или нет, можно или нет, она просто захватывает все существо и подчиняет себе все остальные чувства и мысли, даже способность рассуждать трезво и гордость тоже.

Ты не мог понять, что со мной творится, откуда эти перепады настроения и отношения к тебе. Я действительно то пыталась привлечь тебя лаской, то вдруг вспоминала, что ты ув-

лечен другой, что я могу остаться одна, что у меня тоже есть гордость... Гордости хватало ненадолго, я любила и люблю тебя, а влюбленность гордости плохая помощница.

Оставалось одно: все же стать твоей половинкой в ролях, на съемках и в театре, доказать, что я тоже могу, что я научилась у тебя за эти годы, что ты не зря тратил на меня силы и время, возродить твое желание быть Пигмалионом, напомнить, что Галатея все же я, а не Грир.

Сэлзник был неумолим: брак между Оливье и Ли еще хуже, чем адюльтер!

– Почему?!

– Кому интересно смотреть, как супруги на экране изображают любовь?

– Но сколько супружеских пар играют вместе, и никого это не смущает!

– Состав актеров утвержден, съемки начались. Поверь, роль Майры Лестер в «Мосту Ватерлоо» для тебя куда предпочтительней, чем роль Элизабет в «Гордости и предрассудках», а Тейлор ничуть не хуже, чем Оливье. Может, влюбишься?

Я фыркнула, как кошка. Но что можно поделать, если контракт подписан и сниматься я просто обязана.

В том состоянии, в котором была, я попросту не заметила, как снялась с Робертом Тейлором в роли Майры в фильме «Мост Ватерлоо». Материал прекрасный, потому что героиня не пустая красотка, много немых эпизодов, которые я так люблю. Знаешь, Ларри, в этом, пожалуй, преимущество кино перед театром, на сцене я могу докричаться до последнего ряда только при помощи голоса, что-то продемонстрировать только пластикой тела и движений, но никакой бинокль не позволит разглядеть, что именно выражают мои глаза, увидеть мимику лица полностью. Кино в этом отношении богаче, я могу пла-

кать, и каждую слезинку будет видно на крупном плане, могу, не произнося ни слова, играть только лицом, и зритель все увидит.

Прости, дорогой, но сейчас я скажу крамольные слова. Сравнивая вашу игру в «Гордости и предрассудках», я считаю, что Грир Гарсон переиграла тебя именно в эмоциях. Ты гениальный театральный актер и привык брать голосом и жестами, а она актриса кино и играла лицом куда лучше тебя. Мне очень трудно быть объективной по отношению к Грир, я и сейчас полагаю, что она во многом копировала мою Скарлетт, но все равно она играла лучше.

Хорошо, что ты не можешь прочитать эти слова, представляю бурю, которая последовала бы. Критики, которые порицают за что-то Лоуренса Оливье, бездари, ничего не понимающие ни в театре, ни в кино, ни в актерской игре, ни в игре Оливье тем более! А тут вдруг жена...

Боже, до чего же я расхрабрилась! Раньше и подумать о таком не могла, не то что произнести вслух или написать. Марион права, вслух я и сейчас не скажу, а вот написать, к тому же по-итальянски вперемежку с немецким, – пожалуйста. Да еще и зная, что великий Лоуренс Оливье не станет читать записок своей безумной, как ты полагаешь, супруги.

Ай да воробьишка-храбрец – взял и чирикнул против орла! Ничего, что орел не слышит и из-за городского шума не слышит вообще никто, главное, он сам почувствовал себя храбрым. Так ведь может дойти и до открытого чириканья. Самое важное – успеть спрятаться в свою щель, чтобы не быть сметенной ответным ураганом возмущения. Смешно...

Мое исполнение роли Майры в фильме «Мост Ватерлоо» назвали большой удачей, критики радовались, что Скарлетт не оказалась нечаянной победой, что я могу играть разные роли, что на моем лице легко читаются переживания героини, ее

эмоции – радость, тоска, ожидание, страх, отчаяние... А ведь слова Майры, ее переживания вплоть до отдельных эмоций были очень близки мне, я тоже находилась на грани отчаяния из-за твоих отношений с Грир Гарсон и неопределенности собственной судьбы. Это не только Майра, это я сама произношу, что любила и люблю только тебя, и другой любви больше не будет.

Но никому, и даже тебе, показывать своей ревности, своего отчаяния, страха нельзя, я знаю, как тебе не нравятся любые проявления слабости даже у женщин, как раздражают любые вопросы о нашем будущем и любые укоры из-за ситуации, в которой мы находились. Я не показывала, я была веселой, жизнерадостной спутницей жизни, всегда готовой поддержать разговор, пошутить, радушно принять любых гостей, даже вроде Грир Гарсон. Если бы кто-то знал, каких это требовало душевных сил!

Фрюэн был прав, когда говорил, что я взвалила на себя самую трудную роль в жизни – твоей супруги. Еще не став таковой официально, я уже сполна вкусила прелести этой роли. Наверное, так тяжело всем женам гениальных художников, чем бы те ни занимались. Если бы я решила играть только эту роль, я справилась бы с ней блестяще и безо всяких психушек. Но тогда не было бы меня самой, ведь без сцены, без кино я не Вивьен Ли, а просто никто.

К тому же я никогда не допускала мысли о бездеятельности, разве на время, когда родится ребенок... Сидеть дома и только ждать тебя из театра, не зная, не видя, что происходит на репетициях, во время спектаклей, не видеть, как ты репетируешь, как играешь, лепишь роль, – чем тогда жить, о чем говорить, что обсуждать между собой? У супругов должны быть общие интересы, обязательно должны. Что бывает, когда их нет, я хорошо знаю, сейчас мы общаемся с Ли куда более свободно и инте-

ресно, чем тогда, когда жили, вернее, существовали под одной крышей.

И еще одно. Я всегда боялась стать для тебя неинтересной. Большинство женщин, завоевывая мужчину, не видят дальше самого завоевания. Мужчина мой, дальше усилия можно не прикладывать. Это неправильно, тогда-то все и начинается. Когда рядом достойный мужчина, много труднее удержать его интерес к себе, чем завоевать. С женщинами так же, но тебе никогда не приходилось прикладывать усилий, чтобы удержать меня, ты просто был самим собой, мне хватало.

Я очень старалась, но именно тогда мне показалось, что я тебя теряю. «Оскар» для тебя не важен, мои роли в кино тоже, играть вместе ты не хотел, напротив, стремился словно отделаться от меня. Поэтому, когда ты согласился воплотить в жизнь идею Кьюкора и поставить «Ромео и Джульетту», я была в восторге. Играть Джульетту под твоим руководством!.. Ларри, ты обещал сделать из меня настоящую актрису, для которой Шекспир по плечу, потому такое решение казалось мне подарком судьбы, компенсацией за перенесенные мучения. Даже игра в «Мосту Ватерлоо» уже не казалась столь нежеланной, это просто роль, которую я сыграла, пока ты был занят в «Гордости и предрассудках». А то, что Майра удалась и впечатлила критиков и зрителей, наверное, случайность, просто мои собственные мысли и переживания были созвучны роли.

Главное не Майра, главным для меня стали репетиции, подготовка роли Джульетты.

Но постановка требовала средств, и немалых, никто из продюсеров не горел желанием вкладывать деньги в постановку английского актера, возомнившего себя режиссером. Не оставалось ничего, кроме как вложить свои собственные, полученные за съемки в двух фильмах. Но ты ни на мгновение не усомнился в будущем успехе, могла ли сомневаться я? Конечно,

нет. Мы легко вернем все вложенное, заработаем кучу денег, восхитив американцев, больше того, ты лелеял надежду, что, увидев потрясающую постановку «Ромео и Джульетты», тот же Сэлзник немедленно предложит все экранизировать, тогда ты снимешь и фильм. О... это будет куда ярче «Унесенных ветром», где, как ты был твердо уверен, главная составляющая успеха не удачная режиссерская работа, не подбор актеров, не игра Кларка Гейбла и уж тем более не моя игра, а просто поклонение американцев всему, что касалось периода войны Севера и Юга.

Я не сомневалась в твоей правоте, уже считая свое исполнение роли Скарлетт просто случайной удачей, а «Оскара» скорее данью теме, чем самой игре. Да, конечно, вот «Ромео и Джульетта» покажет американцам, что значит настоящий театр, а ты покажешь, что значит играть! Может, и мне достанется кусочек счастья хотя бы составлять с тобой пару на сцене... Разве ради такого можно жалеть какую-то сотню тысяч долларов?! Ни в коем случае, тем более все вернется сторицей. Но за счастье играть вместе с тобой, да еще и Шекспира, я была готова платить сама безо всяких возвратов.

Кьюкор сказал, что, услышав о твоем намерении поставить пьесу на собственные средства и сыграть в ней Ромео, Сэлзник долго хохотал:

– Мне это на руку, просадив все, Вивьен будет вынуждена снова сниматься, а сам гениальный профан станет сговорчивей в следующих ролях.

Хорошо, что я не знала об этих словах тогда, иначе Сэлзнику несдобровать бы.

Я не понимала, что произошло. Казалось, ты предусмотрел все, Ларри, я и правда не видела, чтобы режиссер так выверял каждую сцену, каждый шаг героев, каждое движение, продумы-

вал декорации, даже написал музыку – лейтмотив основных персонажей...

Перед премьерой ты красочно расписывал, как работаешь над постановкой, как правишь мою игру и как мне удается с полуслова понимать твои указания и даже следовать им. Репортеры соглашались с твоей уверенностью в предстоящем триумфе и с придыханием внимали рассказам о будущих постановках: конечно, «Гамлет», возможно, «Антоний и Клеопатра», нет-нет, «Макбета» еще рано, мы еще не доросли. Имелось в виду, что не доросла я, но я не возражала, опыта шекспировских пьес у меня и впрямь не было.

В феврале 1940 года я уже получила «Оскара» за роль Скарлетт, потому во время премьеры спектакля в марте вполне можно обозначить на афишах эту награду, но ты посчитал это совершенно неуместным, и я промолчала. Ничего, Ларри, вот я поучусь у тебя и тоже сыграю шекспировские роли достойно! Конечно, не как ты, но вполне качественно, чтобы по праву находиться на сцене рядом с великим Лоуренсом Оливье. Ты милостиво соглашался с этим, мол, конечно, если я буду очень стараться, со временем ты сумеешь меня подтянуть пусть не до своего, но до нужного уровня. Звездная пара Оливье–Ли может состояться, твоих усилий на это (при моем непременном послушании) вполне хватит.

Я готова была слушаться, только бы играть вместе, жить вместе, только бы каждую минуту быть вместе. Конечно, этому способствовало и то, что мы были англичанами в Америке да еще и во время войны, но так хотелось, чтобы союз оказался прочным и на долгие годы.

В день премьеры было много поклонников с цветами, не единожды поднимался занавес, но не отпускало ощущение какого-то сбоя, что-то не так... Ты с полуулыбкой позволял мне принимать цветы и аплодисменты, словно мудрый родитель,

наблюдающий, как хвалят его дитя, бойко прочитавшее стихотворение перед гостями. Весь твой вид демонстрировал: вот видишь, что может быть, если ты будешь выполнять мои указания, если будешь послушной девочкой.

Я была благодарна за такой подарок — аплодисменты за шекспировскую роль, но не могла отделаться от беспокойства. Все стало ясно, когда принесли утренние газеты. «Джульетта хороша, Ромео неубедителен». Я постаралась спрятать газеты, но ты тоже ждал рецензии, а потому утаить не удалось. Ларри, тогда я поразилась твоей выдержке: ни единой эмоции, словно так и нужно. Не поняли — и не надо! Я тешила себя тем, что нужно играть еще лучше, больше отдаваться роли, что я, именно я недорабатываю, и это бросает тень на твое исполнение. Ведь писали же критики, что в последние годы в Сан-Франциско просто не было убедительных Джульетт из-за их возраста или мощных статей, а вот эффектных Ромео предостаточно. Конечно же, просто увидев меня, физически похожую на девочку, недовольные постановкой обрадовались и не заметили, сколь талантлив исполнитель Ромео!

Я даже попыталась что-то пискнуть на эту тему, но тут же осеклась, поймав твой бешеный взгляд. Да, утешение было слабым и нелепым, чтобы не выглядеть полной дурой, лучше молчать.

Ничего, не поняли в Сан-Франциско, поймут в другом месте, Сан-Франциско не показатель... Следующим был Чикаго. Но там не просто повторилось непонятное для меня недовольство постановкой и твоей игрой, но стало более отчетливым. Критики ругались, уже не сглаживая углы, а зрители... Это был ужас, потому что они не только хлопали стульями, они требовали обратно деньги за билеты!

Я не знала, как к тебе подступить. Попытка утешить, заявив, что эти критики не способны распознать совершенство,

что они даже собачьего дерьма не различат, наступив в него, привела только к тому, что ты огрызнулся:

– Зрители приходят поглазеть на твою Скарлетт, куда им до Джульетты и всего остального.

Ларри, это был шок. Я на время потеряла способность воспринимать реальность критически. Получалось, что это я своей ролью Скарлетт испортила постановку «Ромео и Джульетты»?! Неужели ты прав, и зрители действительно видят во мне только Скарлетт? Но это означало, что мне как актрисе грош цена, ведь нельзя жить одной ролью.

Самый большой провал случился на Бродвее...

Вчера вечером я не смогла дописать, пришлось отложить все, чтобы хорошо подумать.

Я попыталась посмотреть на происходившее словно со стороны. Ларри, если бы я не была так послушна и ценила себя несколько больше, то многое увидела бы иначе. Не знаю, что именно причиной тому, что сейчас это возможно, то ли просто прошло необходимое для переосмысления время, то ли во мне что-то оборвалось после твоего холодного: «Еще укол!»

Провал постановки «Ромео и Джульетты» был предопределен, и Скарлетт О'Хара здесь ни при чем!

Что происходило в Америке? Ты отправился туда играть в «Грозовом перевале» с явным намерением показать в Голливуде, что такое настоящий английский актер. Попытка «пристроить» меня на какую-нибудь роль была не слишком убедительной. Майрон Сэлзник проговорился, что эти старания были скорей легким намеком, что можно бы дать роль и твоей девушке, чтобы не скучать во время съемок... В Голливуде к подобным отношениям подходили очень строго, и уже один намек на адюльтер приводил к отказу в съемках.

Охотно верю, что ты об этом даже не подозревал. Но я получила роль Скарлетт, круто изменившую всю мою жизнь и наши отношения тоже. Кем я была до тех пор? Неопытной ученицей, способной только на то, чтобы, раскрыв от восхищения рот, любоваться своим божеством на сцене. Ты и только ты – мой кумир, мой идеал актера, мужчины, Героя! И вдруг я получаю «Оскара» за Скарлетт, а ты за Хитклиффа нет. Если бы дело было только в самом фильме и книге, по которой он поставлен, Гейбл тоже получил бы свою статуэтку, но этого не произошло. Значит, дело в роли, вернее, моем исполнении роли Скарлетт.

Ведь предпочли же негритянку Кэтти Макдениэл, игравшую нянюшку, Оливии де Хэвиленд в роли Мелани, даже пресловутый цвет кожи не смутил, хотя это был скандал, ведь негритянка получала «Оскара» впервые!

Я почти полтора десятка лет не признавалась в этом даже самой себе, а вот сейчас расхрабрилась. Да, я сыграла Скарлетт так, как видела ее, и это всем показалось достойным, даже самой Маргарет Митчелл. Почему я не могла гордиться этим тогда, почему старательно переводила (и перевожу!) разговор на другие роли, стоит кому-то заговорить о Скарлетт? Да потому, что получила статуэтку, которую не получил ты.

Ларри, ведь тогда ты сделал все, чтобы умалить значимость этой награды, чтобы я почувствовала ничтожность такой оценки, ее неуместность, чтобы поняла, что даже «Оскар» вовсе не означает ни умения играть, ни таланта вообще.

Сейчас в большой степени я тебе даже благодарна за это, потому что не зазналась, не возгордилась, не стала считать себя состоявшейся актрисой, уверовав в то, что до настоящих ролей и настоящего успеха мне еще расти и расти. В тот момент ты повел себя, как умный наставник, и потому заслужи-

ваешь благодарность. После Скарлетт я работала в десять раз больше, чем раньше, словно оправдывая награду.

Но ведь и Майра в «Мосту Ватерлоо» сыграна хорошо, с душой, хотя в то время мне было не до кино, меня ждала Джульетта в объятиях Ромео.

Ларри, я играла все роли честно, вкладывая в них то, что чувствовала, у меня не столь хороша, как у тебя, актерская техника, я не могу «разложить по полочкам» характер героини и каждую сцену, не могу контролировать, как ты, каждый жест, каждое произносимое слово, я играю, как чувствую. И я не виновата, что твоя блистательная актерская техника не находит такого отклика в сердцах зрителей и не вызывает бурного восторга критиков, как мои вполне наивные движения души. Я не виновата, что меня ценят там, где не ценят тебя!

Ты боец, именно этим я объясняю твою веру в успех на Бродвее провалившегося в Чикаго спектакля. И все же не стоило так откровенно демонстрировать свою уверенность. Роскошный автомобиль, прием с огромным количеством шампанского в день премьеры...

То, что произошло в мае в Нью-Йорке, могло привести в отчаяние не только нас, но и кого угодно. «Худший из Ромео»... «постановка крайне разочаровывающая»... «Джампео и Джульетта» (это из-за твоих прыжков на стену во время спектакля)... Шампанское почти не пригодилось, чтобы не демонстрировать разочарование и не прятать глаза, произнося фальшивые слова одобрения или утешения, большинство знакомых и тех, на кого прием был рассчитан, поспешили найти тысячи причин, по которым не могли задержаться и на минуту.

А утром полный разнос в газетах и... снова очереди из желающих получить обратно деньги за билеты!

«Бездуховность постановки и исполнения Ромео»... Тебя обвиняли в жеманности и неумении услышать себя со стороны. Меня – в том, что еще не достигла совершенства, чтобы в полной мере воплотить великолепный поэтический образ героини Шекспира.

По своему поводу я была вполне согласна – не доросла, но ты!.. Писать о том, что ты производишь впечатление не более как задиристого воробья, а как режиссер спектакля просто не способен увидеть собственное исполнение со стороны!

В какой-то момент ты бросил жесткую фразу, что вынужден играть вполсилы.

– Почему?!

Ответ был не слишком вразумительным, но когда я поняла суть, то окаменела: ты «уступал», чтобы я могла проявить себя.

– Ларри, умоляю, не делай этого! Не стоит подвергать себя нападкам ради того, чтобы обо мне не сказали лишней гадости. Я буду стараться играть, чтобы дотянуться до тебя, не стоит опускаться на мой уровень. Умоляю, не поступай так.

Нет, твоя игра не изменилась. Я посоветовалась с Джоном Мерривейлом, ведь он играл с нами и наверняка видел мои недочеты и то, что прячешь ты. На мой вопрос, считает ли он, что ты играешь вполсилы, Джон расхохотался:

– В полную вышел бы не Ромео, а Мефистофель или Джек Потрошитель. Ты зря думаешь, что Ларри способен ради кого бы то ни было, даже тебя, поступиться собственным эго. Он играет Ромео как может, как видит его. Не ту роль выбрал, Ларри следует играть злодеев.

Я решила, что Мерривейл завидует, хотя чему тут завидовать? Кстати, его собственную игру хвалили.

Еще хуже стало, когда «Ассоциация Бродвея» избрала меня «первой леди Бродвея». Хотелось кричать: «Ларри, я не виновата, что тебя не ценят!», но я, наоборот, замолчала, словно

окаменела. Правда, несколько истерик все же случилось, досталось тому же Мерривейлу. Я очень боялась, что на фоне неудач и даже провалов ты попросту бросишь меня. Я очень боялась потерять тебя, Ларри.

«Ромео и Джульетту» на Бродвее не приняли, залы полупусты, из критиков не обругал только ленивый, все деньги, полученные за «Грозовой перевал» и «Унесенных ветром», вылетели в трубу. Нет-нет, я ни в коем случае не укоряю, каждый художник имеет право на ошибку. Наверное, это было простым непониманием американцев твоего взгляда на роль Ромео и вообще на постановку, хотя обидно – англичанам провалить на Бродвее одну из лучших шекспировских пьес.

Вообще оказалось очень интересно и полезно – анализировать успехи и в еще большей степени провалы. Вопрос «почему?» актер, наверное, должен задавать себе после каждого спектакля, особенно неуспешного. Мы задавали, но не всегда находили правильный ответ.

Деньги, деньги, деньги!.. Они нужны хотя бы для того, чтобы без них обходиться. Мы могли бы обойтись, но денег не было.

Тяжелый период – дети в Англии, и непонятно, что с ними будет, всеобщий остракизм из-за адюльтера (тогда казалось, что Ли и Джилл ни за что не дадут нам развод) и провала «Ромео и Джульетты», огромные финансовые потери, ехидные заметки о том, что мы, вернее, ты, спрятались в Америке от войны.

Знаешь, в то время мне казалось, что ты готов меня бросить, что твоя любовь претерпела серьезные изменения, все рушилось. Я явно была для тебя слишком утомительна со своим всепоглощающим чувством, со своей истеричной привязанностью. Ларри, достаточно было бы просто говорить

утром и вечером: «Я люблю тебя, дорогая», и все было бы в порядке.

Я вовсе не виню во всем тебя, но попытайся понять и мое состояние. К женщине, ушедшей от мужа и дочери и живущей с любовником, отношение совсем иное, чем к мужчине, допустившему адюльтер. Понимаю, что тебе было очень трудно из-за обвинений в непатриотичном поведении, из-за резкой критики актерской игры и режиссерской работы, безденежья, но я-то в этом не виновата.

Все друзья-актеры поспешили в действующую армию, а нам в посольстве отвечали неизменное «не спешите». Ты молодец, не поддался никаким нападкам, хотя только ленивый не плюнул в нашу, вернее, в твою сторону, даже когда ты, чтобы получить удостоверение пилота, решил налетать нужное количество часов в Америке. Ларри, я очень боюсь высоты и признаюсь, что сидела в кабине позади тебя, закрыв глаза, потому не видела, как именно ты вел самолет, но поскольку мы остались живы – неплохо. Только полные дураки или подлецы, не знающие ничего, могли опубликовать в Англии заметку с заголовком «Спасибо, но лучше не надо».

Дурацкое положение! Не кричать же на каждом углу, что мы не возвращаемся в Англию, где наши дети, не потому, что боимся бомбардировок или голода, а потому, что вынуждены выполнять подписанные контракты, сидим без денег, но главное – посольство советует «сидеть и ждать».

А тут еще серьезная болезнь Тарквиния, которого нужно бы немедленно забрать в Америку, чтобы лечить, да и просто дать окрепнуть! А денег не было ни на что.

Я думаю, что тогда именно вот этот всеобщий остракизм, непонимание, даже неприятие (из актеров-американцев с нами общались очень немногие, зато среди этих немногих были мои кумиры Альфред Лант и Линн Фонтенн!), свалившиеся беды

и безденежье сплотили нас с тобой. Боюсь, что в более спокойных и легких условиях мы бы расстались, не выдержав обоюдного эгоизма.

Появление в Америке нашего доброго волшебника Алекса Корды я восприняла, как чудо. Даже если бы он предложил играть не леди Гамильтон, а Медузу-горгону, я бы согласилась. К тому же выбора все равно не было, другие предложения напрочь отсутствовали, а брать в долг бесконечно невозможно. Зато, помнишь, щедрый аванс Корды позволил привезти Тарквиния, Сюзанну и мою маму.

Каюсь, первой мыслью после предложения Алекса была радость от возможного аванса и лишь потом – от того, что мы будем играть вместе. И только потом я вообще задумалась, что же именно буду играть.

Некоторые критики столько сил потратили на то, чтобы доказать мою совершенную некомпетентность в историческом материале, упрекнуть в идеализации образа Эммы Гамильтон, в том, что я показала вовсе не ту Эмму, которая жила в действительности, и в результате из фильма получилась пошлая мелодрама...

Ты ничем не мог мне помочь при подготовке к фильму, в Америке у нас не было больших возможностей изучить материалы об Эмме Гамильтон, в результате экранный образ действительно немыслимо далек от настоящего (хотя кто знает, какой она была в действительности – не внешне, а в душе?). Я играла не исторический персонаж Эмму Лайон, ставшую леди Гамильтон, а просто талантливую женщину, выбившуюся из самых низов, завоевавшую свое место в жизни, полюбившую и готовую для своего возлюбленного Нельсона завоевать весь мир! Это так созвучно с моими собственными чаяниями, я тоже готова была ради тебя на все.

Параллелей можно провести немало. Эмма, проданная своим любимым его дядюшке, не желает быть вещью, не желает принимать даже прекрасных условий жизни в обмен на несвободу. Она прекрасно понимает, что, пресытившись ею, лорд Гамильтон, как и его племянник, снова «сплавит» ее кому-то. Эмма хочет жить по своим правилам, без соблюдения лицемерных норм внешне и предательств за закрытыми дверьми. Это мне очень понятно, наши супруги и даже моя мама были готовы терпеть нашу нелюбовь и измены, только чтобы внешне правила были соблюдены.

Мне совсем не хотелось показать интриганку и авантюристку, напротив, Эмма должна быть достойной любви Горацио Нельсона, особенно в твоем исполнении. Я просто не поверила бы, влюбись Герой в лживую потаскушку. И мне плевать, что там было в действительности, была ли она вульгарной и самовлюбленной, низвела ли обожавшего и все сложившего к ее ногам лорда Гамильтона до уровня мужа, прикрывающего ее связь с Нельсоном и даже рождение ребенка, была ли это «жизнь втроем» с мужем и любовником... МОЯ Эмма иная, и ее любовь с адмиралом Нельсоном должна быть чистой, а она сама соответствовать Герою, которого играл Лоуренс Оливье, ведь ты играл Героя?

Корда понял, что я играю не реально существовавшую Эмму со всеми ее недостатками, а саму себя в своей любви к тебе. Алекс пошел мне навстречу, в сценарий вставлены сцены, которых просто не могло быть в жизни, и убраны все факты, противоречащие моей концепции роли, Эмма Гамильтон – почти святая, некогда проданная, но сумевшая отстоять свое право быть человеком, а потом своей любовью фактически поднявшая Героя на недосягаемую высоту.

Впервые в жизни мне было наплевать на все критические выпады! Да, моя Эмма Гамильтон так же далека от реальной,

как и твой Нельсон от того одноглазого, измотанного ранами и недугами человека, совсем не идеального и часто далеко не героического, которого звали Горацио Нельсон. Но время требовало Героя, и мы сыграли Героя и его Возлюбленную, которые просто не имели права быть негероическими, не имели права выглядеть слабыми или недостойными восхищения. Отсутствие глаза, потерянного в бою, – это героический штрих, его не только можно, но и нужно подчеркнуть черной повязкой, а вот отсутствие зубов или постоянно съезжавший набок парик показывать ни к чему.

Мы играли и выглядели по законам жанра – Герой и Героиня, а вокруг множество тех, кто по роли обязан создавать препятствия. Тогда и в голову не приходило, что позже найдутся историки, которые обвинят в безобразном искажении и пошлой мелодраме.

Еще раз повторяю: впервые мне было наплевать! Я играла Любовь, которая может все.

Меня заботило только одно: Ларри, мне показалось или тебя действительно коробило то, что твой Нельсон оказывался многим обязан Эмме Гамильтон, зависел от нее не только материально, но и морально, эмоционально? Жизнь сильного человека, Героя, была фактически в руках слабой женщины. Помню, помню, что настоящая Эмма ни слабой, ни хрупкой ко времени встречи с Нельсоном не была, скорее гром-баба, но для нас это неважно.

Меня обвинили, что я просто перенесла Скарлетт на английскую почву и заставила бороться не за Тару, а за Нельсона. Это не так, они слишком разные – Скарлетт и моя Эмма Гамильтон.

Тебя не обвиняли ни в чем, кроме опять-таки слишком холодной игры. Ты не протестовал и не возражал, ты играл Героя, и мы все вокруг старательно подыгрывали, а вот это тебе всегда нравилось, Ларри.

Я второй день завязана на воспоминания об этом фильме и этой роли. Почему? Долго не могла понять, все же просто – Герой и Героиня, взаимная любовь, пусть и далекие от реальных образы и события. Красивая история с популярными именами, выдуманная, но поучительная. Что же не так, почему чье-то возражение засело в голове, хотя я старательно подчеркиваю, что на сей раз меня не волновали мнения критиков.

И вдруг я вспомнила. Ларри, я, кажется, даже не рассказывала тебе об этом письме, оно пришло, когда мы были в разлуке, а ты подобные письма не любишь. Женщина написала, что, идеализируя героев, изображая их красавцами с исключительно благородными помыслами и соответствующими поступками, отказывая им в реальных чертах и характерах, мы тем самым не просто упрощаем Нельсона и Гамильтон, низводя до уровня мелодраматических кукол, пусть и блестяще сыгранных, но и отказываем в настоящих чувствах.

Тогда письмо вызвало просто недоумение. Уж чувств было достаточно, и ничего мы не упрощали, во всяком случае, я старалась этого избегать.

Но одна фраза запомнилась и всплыла в памяти сейчас. Женщина писала, мол, неужели одноглазый, израненный Нельсон, у которого не было живого места ни на теле, ни на лице и который вовсе не отличался ни ростом, ни статью, ни пригожестью даже в молодости, менее достоин великой любви, чем если бы действительно был красавцем? А леди Гамильтон, превратившись к моменту их встречи в грузную матрону, даже слишком грузную, разве не могла проявлять чудеса самопожертвования? И к чему показывать супругов главных героев жестокими ревнивцами только потому, что они оказались бывшими и нелюбимыми?

Возражений в письме было немало, но сводились они не к тому, что мы грубо исказили историю и настоящие характеры героев (и не только главных), а к тому, что подобными

фильмами и образами мы настаивали, что большая, настоящая любовь, как и благородство, возможна, только если люди красивы внешне. В противном случае им остается лишь ревновать и завидовать, а это неправильно.

Можно бы возразить, что существуют законы жанра и требования времени. Мы не могли показать настоящий облик адмирала Нельсона, весьма далекий от божественного. Как не могли показать крикливой толстухой с желтой кожей из-за больной печени и леди Гамильтон, в какую та превратилась за годы жизни в Неаполе. Это не просто некрасиво, это еще и неубедительно. На экране не любовь двух больных людей и не демонстрация их физических и нравственных недостатков, каковых было действительно с лихвой, а красивая сказка о красивой любви. А в сказках некрасивых героев не бывает, и все делятся на добрых и злых безо всяких полутонов.

Но тогда мы даже не задумывались над этими вопросами, а потом письмо затерялось. Глупая мысль: попытаться возразить сейчас, через столько лет, да еще и фактически в собственном дневнике.

Не думаю, что леди Гамильтон обиделась бы из-за созданного мной образа.

Кому я это пишу? Ларри? Ему наплевать, он играл излюбленную роль – Героя, у которого не было ярких черт шекспировских характеров, а потому интересовавшего моего обожаемого супруга мало. У Ларри Герои настоящие – без полутонов и обязательно с четко выраженными чертами именно героев, а не сомневающихся хлюпиков.

Для меня самым важным было то, что мама привезла Тарквиния и Сюзанну в Нью-Йорк, значит, мы могли не беспокоиться за детей; нам разрешили вернуться в Англию, и мы, наконец, оформили свои отношения официально.

Ларри, помнишь, я тебе рассказывала, как после возвращения в Англию беседовала с каким-то настырным журналистом. Он все крутился вокруг вопроса о нашем статусе и наконец решился, поинтересовавшись, намерены ли мы все же пожениться теперь, когда разводы уже получены? Мол, понятно, что война, что не время, но все же.

– Оформить отношения? Какие?

– Супружеские.

– Нам?

– Да.

– Но мы давно женаты.

– Я понимаю... не в бумагах счастье... но все же разве вы не желали бы стать миссис Оливье?

– Нет, я оставила свое имя, под которым меня знают в Америке и Европе.

– Но все же... официально стать супругой Лоуренса Оливье...

– Повторяю: мы давно оформили все бумаги, мы с Лоуренсом Оливье муж и жена.

– Но свадьба?..

– Вы же сами сказали, что не время. Все произошло в Америке, тихо и спокойно в присутствии только самых близких друзей.

Для прессы это был удар, они столько выжидали, столько исписали бумаги и сломали карандашей, столько строили догадок и распускали спекулятивных слухов, а мы вдруг совершили все тихо и незаметно, лишив бедолаг такой темы для обсуждения!

Прессу обижать нельзя, отыграются на чем-то другом. Ларри, ты не боишься? Ты ничего не боишься, иначе не раздавал бы автографы на отдыхе в Италии в то время, когда жена лежала в больнице Лондона.

Я снова пишу автобиографию, а вопросы Марион лежат в стороне....

«Вся твоя жизнь посвящена ему, он ее средоточие».

Конечно, а как же иначе, я живу не просто рядом с Ларри, я живу ради него.

«Этого нельзя сказать о нем, он живет ради самого себя, лишь позволяя тебе быть рядом и жить его жизнью».

Ну-у... я могу добавить, что Ларри живет ради сцены... Хотя, если хорошо подумать, то на сцене он живет ради себя. Пожалуй, сентенция верная.

Ларри жил ради меня? Нет, такого не бывало, хотя внешне все выглядело несколько иначе: капризная жена и во всем потакающий ей супруг. Кстати, почему так? Попробуем разобраться.

Единственный раз, когда Ларри действительно пошел мне навстречу, – съемки «Унесенных ветром», но он просто считал мои настойчивые попытки получить роль дамским капризом, не больше. Чем Ларри рисковал? Ничем. Он уже снимался в «Грозовом перевале», предлагая мою кандидатуру Майрону Сэлзнику, Оливье едва ли предполагал, что меня возьмут и что роль получится. Малышка хочет поиграть в большое кино? Пусть попробует, узнает, что это такое, – оценит усилия серьезных актеров, это не эпизодическая роль из двух фраз.

В остальном всегда и во всем его интересы ставились во главу угла. Мы играли в тех пьесах и фильмах, где мог показать себя Лоуренс Оливье (не моя вина, что замечали больше меня), которые были интересны ему. Никакими намеками, убеждениями, уговорами я не смогла заставить Ларри заинтересоваться «Дамой с камелиями», хотя мечтала о роли Маргариты Готье. Анна Каренина? Но Ларри не нравилась роль Вронского. Клеопатра? Только не Бернард Шоу с его Антонием-подкаблучником!

Почему же все считают, что Ларри постоянно угождает мне? Во-первых, в чем угождает? Он подчиняется прекрасно отлаженной мною домашней жизни, это удобно, потому что не нужно ни о чем заботиться, все всегда вовремя подадут и уберут. Да, я не подаю и не убираю сама, но могу организовать. Привечать друзей, делать так, чтобы дом был и считался гостеприимным, чтобы всем было интересно, чтобы хотелось прийти еще и еще раз... Каждый день, вечер, утро все продумано до мелочей, все настолько налажено, что никто не замечает малейших усилий для поддержания порядка и атмосферы.

Это удобно, потому что полностью освобождает Ларри от любых забот, кроме театральных. Но поскольку в доме и среди друзей царю я, все подчиняется моей задумке, создается впечатление, что это происходит по моей воле, мол, как Вив пожелает, так и будет! Ларри такое положение нравится, уступать в мелочах, не обременяя себя заботами, даже приятно, в конце концов, какая разница – играть в шахматы или разгадывать кроссворды всей компанией? Как и то, в каком ресторане обедать, если не дома. Ларри знает, что я все разведала, заказала, сбоев не будет, так почему не повести супругу в ресторан, демонстрируя всем заботу о ней?

Парадокс: организовывая всю жизнь, кроме жизни на сцене, я старательно делаю вид, что всего лишь высказываю пожелания, почти капризы, которые тут же выполняются. Что это, неужели внешняя компенсация за тот груз, что я на себя взвалила?

А ведь так бывало не только с Ларри. Я всегда и везде организовывала и придумывала вокруг себя все сама, но выглядело это так, словно окружающие угождали мне. Кауард однажды сказал, что создается ощущение, что в наш дом приходишь носить мой шлейф, однако делать это крайне приятно. Но потом задумываешься и понимаешь, что в то время, как ты носишь

этот шлейф, тебя самого носят на руках. Короля играет свита? Наверное, но для начала надо заставить эту свиту играть, причем по своим правилам!

Кроме того, Ларри нравится делать вид, что он снисходительно уступает своей супруге, которая во всем является его рупором, что, мол, с нее возьмешь, неразумное, капризное дитя... Я продолжаю быть рупором (иногда в буквальном смысле этого слова – озвучивая мнение мужа по любому поводу, что страшно раздражает некоторых друзей), но неразумное, капризное дитя стало оттягивать на себя слишком большое внимание. Королева хороша и может находиться рядом, но лишь пока ей целуют ручки. Не дай бог завести разговор о чем-то серьезней партии в шахматы или нарды! «Политика не для вас, миссис!»

Я согласна и не протестую. Хочу только одного: чтобы Ларри не забывал обо мне на сцене, не забывал, что мне тоже нужны интересные роли и успех.

ВОЙНА В ЖИЗНИ И НА СЦЕНЕ

Почему-то, вспоминая Лондон военных лет, я обязательно вижу его темным, словно в те годы солнечных дней не было вообще, и не только солнечных, но дней как таковых – только ночи с воздушными тревогами и затемнениями. Человеческая память избирательна, она и впрямь оставляет только то, что соответствует восприятию момента. Радость всегда светлая, яркая, тоска серая, тусклая, а вот беда обязательно с затемнением.

Ларри, почему Тайрон Гатри тогда не взял меня в «Олд Вик»? Объяснение, что это театр без звезд, нелепо, кто же тогда ты, Джон Гилгуд, Ричардсон и многие другие? Я бы скорей назвала «Олд Вик» театром звезд. Но звезду по имени Вивьен Ли, больше известную по ролям Скарлетт, Майры и Эммы Гамильтон, там видеть не желали. Словно в угоду тебе, ведь ты считал меня незначительной актрисой, без твоей поддержки не способной даже выйти на поклоны. Такое предположение – о твоем нежелании видеть меня на сцене без твоего присутствия и пригляда – кажется бредом сумасшедшей, однако сейчас я понимаю, что оно недалеко от истины.

Я даже была согласна терпеливо ждать, когда сможешь работать ты, но нам оказалось не на что жить, все деньги за первые удачные фильмы потрачены на неудачную постановку, за последующие – на обустройство детей в Америке. Стало ясно, что, пока ты осваиваешь летное дело подле Винчестера, мне нужно устроиться на работу. Но я актриса и могу только играть, шахтер или даже медсестра из меня никудышные.

– Я сам подберу пьесу и роль, в которой твой провал будет не столь заметен...

– Провал?! Почему провал, Ларри?

– Ну, хорошо, не провал, но трудности, скажем так. Чтобы играть на сцене уверенно, ролей вроде Скарлетт недостаточно, сцена не терпит фальши. А твоя актерская техника не достигла нужных высот, что ни говори, два семестра актерской школы не дадут столько умений...

Мне хотелось кричать в ответ, что меня признали хорошей актрисой даже на Бродвее, но я понимала, что ты возразишь – это за красивые глазки, а потому молчала. Хорошо, я сыграю любую предложенную тобой роль, я докажу, что чего-то стою не только в кино, но и на сцене, что я актриса не хуже, чем ты пилот. Давай честно признаем, Ларри, что пилот ты отвратительный, умудриться разбить два самолета, только разворачиваясь на земле, – это не признак большого умения. Ты актер – и не к чему было играть в воздушного аса, эта роль, в отличие от шекспировских, тебе явно не удалась.

Правда, даже упоминать об устроенной в первый же день службы в военной авиации аварии нельзя, это означало бы нанести тебе смертельную обиду. А тот, кто обидел Ларри Оливье, долго не жил.

Я хотела жить и не вспоминала.

Нет, неправда, я не вспоминала не потому, что боялась, а потому что очень переживала за тебя самого и была такому

обстоятельству, как наземная авария, даже рада. Это означало, что тебя просто не допустят до реальных полетов, до настоящих боев. Некрасиво, недостойно, когда другие летали и погибали, радоваться тому, что ты сидишь на земле, но что поделать – я радовалась.

Пьесу и роль ты подобрал. Ларри, в первую минуту я не поверила своим ушам:

– Миссис Дюбуа в «Дилемме доктора»? Но, Ларри, что там играть?!

– Вот речь неопытной актрисы. Этими словами ты продемонстрировала собственную незрелость. Настоящий актер никогда не станет делить роли на достойные и недостойные его. Любую роль можно сделать запоминающейся и любую же провалить.

Сейчас при одном воспоминании о таких словах мне хочется вопить от несправедливости. Не ты ли не так уж давно в Америке продемонстрировал этот самый провал Ромео, а я умение играть роли вроде Майры – не самой притягательной для актрис? Признайся, Ларри, ты никогда не умел быть справедливым к другим и одинаково честно относиться к своей и чьей-то игре, удачам или неудачам, особенно моим. Твои неудачи всегда просто непонимание критиков и незрелость зрителей, мои – закономерность! Твои успехи – это гениальность, мои – случайность или все та же незрелость зрителей, способных проглотить что угодно.

Моя Эмма Гамильтон, несмотря на все ее несоответствие реальному историческому персонажу, все же заслужила куда больше положительных отзывов, чем героический адмирал Нельсон в твоем исполнении. Будь справедлив, Ларри, ты тоже выбираешь роли и не станешь играть любую, предложенную

кем-то, если она тебе не по душе. И провалы могут быть у кого угодно, а вот удачу нужно заслужить, в этом ты прав.

Но это я сейчас такая умная, решительная, тогда даже пикнуть не смела, с придыханием выслушивая твои сентенции о своей незрелости и неготовности играть серьезные роли, тем более самостоятельно. Я докажу, я сыграю эту незаметную роль так, чтобы она осталась в памяти зрителей.

Сыграла. Именно так, как надеялась! Пьеса не сходила со сцены больше года – огромный срок для театров военного времени. Джону Гилгуду моя популярность в роли Скарлетт и внешняя пригожесть не помешали с удовольствием играть главную мужскую роль. Ведь это же глупость – считать, что театральная актриса должна быть некрасивой, мол, красота требуется только актрисе кино, в театре она лишь прикрытие отсутствия таланта. Попросту говоря, наличие привлекательных черт лица означает отсутствие таланта. Смешно, но в Англии красивым актрисам приходилось с трудом доказывать свою способность играть серьезные роли. Может, потому большинство уходили в кино, хотя и там не легче.

Хотела бы я знать, как отнесся к моему исполнению миссис Дюбуа автор пьесы – Бернард Шоу. Втайне я надеялась, что заметит меня и... одобрит идею поручить мне роль Клеопатры в новом фильме Паскаля по пьесе Шоу «Цезарь и Клеопатра». Об этих новых съемках уже ходили слухи, как в свое время и об «Унесенных ветром». Конечно, одинаковая удача дважды невозможна, но почему бы не попробовать?

Сам Паскаль был не против именно моего исполнения, но по условиям контракта обязан все согласовывать с автором. Эти мысли я держала в тайне, надеясь сделать тебе подарок – роль Цезаря! Конечно, кого же может пригласить Паскаль, кто в Англии лучше Лоуренса Оливье способен воплотить на сцене великого Цезаря?

Но в таком распределении были свои сложности. Я непременно должна получить роль Клеопатры до того, как тебе предложат Цезаря, иначе мое назначение выглядело бы уступкой тебе, протекцией, послаблением... чем угодно. Нет, нет, сначала я, потом ты. Я понимала, как непросто будет играть Клеопатру рядом с таким Цезарем, и сладко замирала от такой мысли, тем более Паскаль получил одобрение меня в качестве Клеопатры от Сэлзника. Это было тем удивительней, что совсем недавно я отказалась лететь в Америку, чтобы сыграть Клеопатру в этом же спектакле на Бродвее, а потом отказалась от нескольких очень похожих на Скарлетт ролей в Голливуде. В ответ Сэлзник запретил мне играть принцессу Екатерину в «Генрихе V», которого начал снимать ты.

Ларри, если честно, то именно твоя занятость в качестве кинорежиссера позволила мне некоторое время скрывать свои истинные намерения. Тебе было не до меня и моей мечты сыграть Клеопатру в фильме. Ты пристроил меня в качестве жены художника в «Дилемме доктора» и на время успокоился. Не слишком яркая роль, не слишком яркая пьеса, у того же Шоу есть куда более эффектные произведения. Что ж, вполне достаточно для твоей незначительной жены.

Зато тебе предложили снять «Генриха V»! Не только играть шекспировского героя, но и самому снять фильм... Если честно, я побаивалась, что ты снова увлечешься и выйдет нечто похожее на наших «Ромео и Джульетту», но сказать тебе этого не могла.

Итак, ты снова был впереди, причем не только меня, но всех английских актеров, они либо воевали, либо играли в провинциальных театрах, либо ездили с концертами в войска. А ты начал снимать фильм, и какой!.. Обожаемый Шекспир, и роль героическая, это не одноглазый Нельсон, которому помогала женщина, твой Генрих одержал победу над французами

в ходе Столетней войны, диктовал свои условия. Такие роли по тебе, Ларри, ты очень любишь либо блестящих победителей, либо неимоверных подлецов. Согласна, шекспировские пьесы для театра не просто классика, а недостижимый идеал, а роли в них – лучшая проверка на зрелость актеров.

Тем важнее для меня получить Клеопатру, пусть не у Шекспира, но у Шоу, что тоже само по себе значимо.

Ларри, ты блестяще справился, полученный за фильм «Оскар» тому доказательство! Я всегда, с самого первого дня, как увидела тебя, не устаю повторять: ты гениальный актер, блестящий, лучший исполнитель шекспировских ролей, Ромео не удался тебе всего лишь из-за возраста, тебе, зрелому мужчине и человеку, трудно играть мальчишку, особенно рядом со мной. Остальные роли – вершина шекспировских героев. Никто не может оспорить такое мнение!

К моему великому огорчению, Бернард Шоу больше не ходил на спектакли по своим пьесам, видно, не считая, что может увидеть нечто новое и привлекающее внимание, потому я в роли миссис Дюбуа осталась драматургом не замеченной.

Что делать? Идти к этому великому насмешнику и прямо спрашивать благословения? Но Шоу действительно король парадоксов, это не Сэлзник, его не интересуют деньги, а потому надеяться выжать слезу или комплимент просто ради будущего коммерческого успеха не стоит. Нет, великого любителя парадоксов следовало заинтересовать, причем нужно, чтобы он сам предложил мне эту роль! Да-да, тогда Клеопатра будет особенно ценна.

Мне помогли и устроили встречу с писателем, причем за весь вечер я и словом не обмолвилась о предстоящих съемках и страстном желании в них участвовать. Я очень много слыша-

ла о Бернарде Шоу, не раз сама прилипала к приемнику, когда он выступал, читала все его пьесы и многие эссе, даже пыталась одолеть «Руководство...» по социализму для женщин. Конечно, не все приемлемо, но Шоу есть Шоу.

Те, кто присутствовал при нашей встрече, говорили, что это был театр одного актера, хотя я не играла, вернее, прекратила это делать уже после первых секунд, слишком лукавыми и внимательными оказались хитрые глаза старика. Ни играть перед ним, ни пытаться обмануть его нельзя, любую игру он увидел бы сразу и ответил своей игрой, куда более изощренной и страшно насмешливой. Потому уже после первых фраз я выбросила из головы идею заполучить от него благословение на роль и отдалась удовольствию общения с изумительным собеседником – умным, ироничным острословом, не жалеющим прежде всего себя самого, а оттого особенно успешным в своих словесных изысках.

Я даже не могла вспомнить, о чем шла речь, но хорошо понимала одно: более интересного собеседника у меня никогда не было. Бог с ней, с Клеопатрой, я благословляла небеса за саму возможность вдоволь посмеяться и почти на равных поговорить со знаменитым острословом.

– Знаете, что вам следует сделать?

– Что?

– Сыграть Клеопатру! Я скажу об этом Паскалю, он намерен снимать фильм. Если вы, конечно, не против.

– Конечно, нет.

– Я рад. Вы не испортите эту царственную девчонку, не превратите ее в самовлюбленную дуру или пустышку, ветром с Сахары занесенную на трон величайшего царства.

Разве можно было ожидать большего подарка? Мне хотелось расцеловать старика, но не посмела.

Помню, помню, что не раз рассказывала тебе об этой встрече, но ведь могу еще столько же. Хорошо, что у тебя нет воз-

можности ни возразить, ни прервать меня, ни даже просто отвернуться, демонстрируя недовольство зрелого человека моим глупым щебетом.

Ларри, знаешь, какая это тяжелая работа – щебетать за двоих, временами действительно изображая дуру! Просто я не могу, когда рядом молчат, особенно ты. Это вовсе не желание общаться круглосуточно, с Освальдом Фрюэном и даже с Ли я могу и помолчать, а в твоем случае молчание как-то само собой ассоциируется с недовольством. Понимаешь, замкнувшись в себе, ты молчишь несколько... сурово, что ли.

Даже не чувствуя за собой никакой вины, я невольно начинаю таковую искать. Чувствовать себя виноватой без вины не слишком приятно, мне нужен контакт с тобой – визуальный, словесный, какой угодно, нужно видеть и слышать, что ты со мной, а не где-то там со своими шекспировскими героями. Я не умею быть одна, если ты рядом. Тогда ты еще был рядом, а потому требовалось общение.

Понимаю, что это утомительно, что тебе тоже нужно побыть одному, что я временами даже надоедала, но достаточно было бы просто сказать, что ты меня любишь и просто хочешь подумать над очередной ролью, а потому помолчишь. Правда, этого было бы достаточно. Но ты предпочитал иное – либо насупленно отворачиваться, либо огрызаться.

Еще хуже, что ты изображал мужа, которому до смерти надоела болтовня глупой жены и только чувство долга заставляет терпеть этот поток ненужных слов.

Особенно тяжело, когда ты сидел без дела на аэродроме, а я ездила со спектаклями по провинции. Ларри, как мне хотелось просто прижаться к тебе и, заглянув в глаза, сказать:

– Дорогой, все это временно, закончится проклятая война, все наладится, ты снова будешь играть, ставить гениальные спектакли.

Но я не могла так поступить. Во-первых, это немедленно было бы воспринято как намек на твое якобы безделье и то, что деньги на нашу с тобой жизнь зарабатываю я. Во-вторых, подчеркнуло бы, что тебя не допускают к полетам, попросту не доверяя. Я помню, что ты и без того страшно переживал, когда вышла дурацкая статья «Спасибо, лучше не надо» о твоих попытках освоить полеты.

Я не могла даже ободрить тебя без риска задеть самолюбие. У тебя просто больное самолюбие, дорогой, настолько больное, что задушило внутри все остальное.

Приходилось все время играть этакую бодренькую веселушку-хохотушку, как бы ни скребли кошки на душе. Мне удавалось, Вивьен Ли у друзей, и не только у них, славится оптимизмом, веселым нравом, всегда хорошим настроением и гостеприимством. Конечно, когда нет приступов и я не в психушке, хотя я и там умудряюсь веселиться.

Но такое поведение тебя тоже немыслимо раздражает.

Сэлзник предлагал роли в Голливуде, например, в экранизации «Джейн Эйр», некоторые были просто повторением Скарлетт и интересовали меня мало, но и от тех, что могли бы действительно стать большим успехом, я отказывалась. Уехать в Голливуд означало расстаться с Ларри. Я встала перед тем же выбором, что и Джилл, – Ларри или карьера, и решила, что последую ее примеру, только постараюсь не опоздать.

Ларри предложили снять «Генриха V», вернее, предложили сыграть короля, но Уайлер, который должен снимать картину, занят, и за режиссуру взялся сам Ларри. Продюсер, режиссер и актер в главной роли – немыслимая нагрузка на одного человека, но Ларри так истосковался по работе, что готов был даже музыку писать сам, только бы сменить аэродромную маету на привычную съемочную площадку!

Нашлось немало мерзавцев, объявивших, что снимать дорогие костюмированные фильмы в военное время — непозволительное расточительство, что настоящие мужчины сражаются не игрушечными, а настоящими мечами... Но Ларри молодец, он просто наплевал на все эти измышления и занялся фильмом.

Женская роль в нем только одна — принцессы Екатерины, Сэлзник немедленно наложил запрет на мое появление в этой роли, мотивируя тем, что звезды в эпизодах не снимаются! Роль получила Джин Симмонс, но я не переживала, ведь у меня была «Клеопатра». Снимать «Клеопатру» в военное время не менее расточительно и не менее трудно, потому что было очень холодно, строить декорации не на что, а в только что выстроенную однажды во время бомбежки попал снаряд, люди чудом не пострадали.

Снимали очень долго и трудно, Паскаль — прекрасный продюсер, но очень неопытный режиссер, Шоу требовал от него точного следования тексту, то есть переноса спектакля на пленку, не учитывая особенности кино. Это страшно мешало, готовые сцены переделывались, переснимались снова и снова, и никто не мог сказать, что же останется в итоге и что получится вообще.

Но я играла с большим удовольствием, потому что, помимо успешного завершения съемок «Короля Генриха V», Ларри, у меня был еще один секрет — беременность! Из-за этого страшно раздражала медлительность Паскаля, боялась, чтобы он не затянул съемки до самых родов.

Не случилось, но не потому что отсняли быстро, а потому что ребенка я не доносила! Не могу смотреть этот фильм, особенно сцену, когда Клеопатра плетью прогоняет раба с криком: «Я царица!» Сцена уже была снята, имелись два хороших дубля, зачем Паскалю понадобилось повторять в третий раз, не

смог бы объяснить и он сам. Но во время очередного пробега я поскользнулась и...

Переломов не было, был выкидыш. Второй выкидыш...

Я знаю многих актрис, которые с трудом вынашивали и рожали детей, у которых было по несколько выкидышей, но мне это казалось не просто катастрофой, а концом всего. Отношения с Ларри трещали по швам, оформить брак официально вовсе не означает стать крепкой семьей, перед войной у нас была целая куча проблем из-за адюльтера, потом на Ларри страшно давило вынужденное безделье, теперь у него было дело, он вернулся в строй, и стало заметно, что семья его тяготит. Да и что за семья, если в ней нет детей?

Впервые за несколько лет я сорвалась в приступ. Столько времени держалась, но теперь не сумела. Ребенок был последней надеждой сохранить брак. Я повторяла путь Джилл, но она родила Тарквиния, хотя ей не помогло, а я даже этого не сумела.

Безразличие... долгое, тягостное, прерывающееся только новыми приступами, — вот состояние, в которое я впала на пару лет. Ужасно.

Я вернулась на площадку, мы закончили «Клеопатру», но бесконечные простуды из-за холода на съемках сказались на моих легких. Судьба развела нас с Ларри по разным углам — меня на больничную кровать, а его — на пьедестал.

В наш дом тоже попал снаряд, полностью не разрушил, но задел, и Ларри решил, что пора обзаводиться собственным домом. Он присмотрел здание бывшего аббатства — «Нотли». Увидев серое, мрачное каменное сооружение впервые, я ужаснулась.

— Ларри, здесь сыро, холодно, нет водопровода, его невозможно протопить зимой, требуется капитальный ремонт, а это

затянется надолго... Не сад, а сплошные заросли колючих кустов...

Марион просила вспомнить, когда я впервые почувствовала, что муж отдалился. Вот тогда, когда мы осматривали «Нотли». Раньше Ларри мог прочитать мне целую лекцию о моих недостатках, о том, что на сцене я почти ничтожество, что нужно неимоверно много работать, чтобы чего-то достичь, потому что надеяться на вторую роль Скарлетт не стоит...

Он мог быть необъективным, даже неприятным, но никогда не был бездушным. Даже вышвырнув моего «Оскара», Ларри хотя бы показал свое неравнодушие. А теперь он просто выбрал то, что показалось хорошим ему лично, не интересуясь моим мнением вообще. Для покупки «Нотли» пришлось потратить все имеющиеся запасы, на хороший ремонт денег не оставалось, отделаны всего несколько комнат на первом этаже, все таких же холодных и мрачных...

Я, прожившая свое детство в аббатствах, чувствовала себя в «Нотли», словно в каменном мешке, который мог стать могилой. Чтобы не стал, понадобилось приложить максимум усилий.

– Возьми все в свои руки и придумай, как сделать «Нотли» пригодным для уютной жизни. У женщин это получается всегда лучше, чем у мужчин, заодно отвлечешься...

Все справедливо – у Ларри работа, он заканчивал «Генриха», потом предстояли новые спектакли, съемки и еще много чего... Я после выкидыша и приступов должна поберечь здоровье.

«Нотли» действительно едва не стал моей могилой. Холод, простуды, бесконечные сквозняки за кулисами и на съемочных площадках – и у меня вспышка давно забытого туберкулеза! Детская болезнь вернулась новыми кавернами. Ларри не было в Лондоне, но, получив сообщение, он не поторопился домой.

Вот тогда я поняла, что это конец. Разве я сама смогла бы вылететь на встречу с друзьями в Париже, зная, что Ларри нужна помощь дома? А потом спокойно отправиться на гастроли в Германию, даже не заглянув в «Нотли»?

Именно тогда я потеряла сразу все: ребенка, возможность сохранить семью, здоровье и Ларри! Муж появился только тогда, когда я уже была в больнице. Ларри боялся, я просто видела, как он боялся. Это понятно, ведь туберкулез для актера означает отказ от профессии. У меня закрытая форма, находиться рядом не опасно, да я и не стремилась приближаться, но Ларри все равно осторожно держался подальше.

За больничной палатой последовала комната в «Нотли» – холодно, сыро, мрачно и окна в запущенный сад... И так четыре месяца без общения с кем-либо. Ларри заскакивал на минутку, стараясь не проходить дальше порога, обнадеживал и исчезал, отговариваясь занятостью. И я видела, что, даже стоя у двери, он все равно далеко-далеко... Он на сцене, на съемочной площадке, он с друзьями... где угодно, но только не со мной. Я не оправдала его надежды половинки пары короля и королевы английской сцены, теперь это было совершенно ясно.

Конечно, Ларри сокрушенно вздыхал, что мои слабые легкие не позволят играть на сцене, но я видела другое. Не этого он боялся, я была уже не нужна мужу как партнерша, потому что, оказываясь рядом, оттягивала на себя внимание публики в театре, репортеров на пресс-конференциях, продюсеров на киностудиях... Сэлзник не простил Ларри моих отказов сниматься в Голливуде без мужа, справедливо полагая, что меня держит не одно желание быть в Англии в военное время, а скорее желание не расставаться с Ларри. Оливье в отместку просто перестали что-то предлагать в Голливуде.

Но Ларри было достаточно Англии. Отныне он царил во всем! Гатри ушел из «Олд Вика», и Оливье практически возгла-

вил театр вместе с Ричардсоном, равного ему актера в Лондоне не было, а теперь еще самостоятельные съемки фильма... Оливье царил и блистал в одиночку, что ему нравилось куда больше, идея королевской сценической пары сама собой заглохла.

Я уже побывала на дне – дне отчаяния, ненужности, одиночества. Нет, не в психушке, раньше – в своем любимом ныне «Нотли». Лежала одна четыре долгих осенних и зимних месяца, читала и размышляла.

Ребенка нет и не будет. Ларри отдалился настолько, что не только о физической близости, но и о духовной говорить невозможно. Он почувствовал себя сильным, всемогущим, почувствовал себя королем сцены, и теперь Ларри было совершенно неважно, есть ли рядом королева.

Как жена я несостоятельна тоже, потому что заперта в комнате, и надолго ли, никто сказать не может. Если туберкулез не отступит, о сцене придется забыть, как и о шумных вечеринках и вообще частых встречах с друзьями, потому что закрытая форма может легко перейти в открытую, тогда я стану опасной для окружающих.

День за днем, неделя за неделей одно и то же – лекарства, постель и книги. И ненужность, это самое страшное. Ларри явно жалел, что связал свою судьбу с моей, потому что матери из меня не вышло, жены тоже, на сцене я ему мешала, оттягивая на себя внимание публики, в кино также, денег в дом не приносила. Все, что у нас было после съемок в «Клеопатре», ушло на «Нотли», росли долги, росло и недовольство Ларри. Он явно нервничал, но, опасаясь моих приступов, молчал.

У меня больше не было надежды родить Ларри сына, не было даже надежды вернуться на сцену, без которой я жизни не мыслила. И только воля к жизни заставила не сникнуть совсем. Нельзя ни с кем общаться, пока не исчезнет опасность

заражения, – оставались книги. Нельзя на сцену – я учила стихотворения, отрывки из произведений.

Казалось, это будет тянуться вечно, а вечность – это очень долго, особенно в конце... Но заканчивается даже бесконечное.

Я выкарабкалась, туберкулез отступил, каверны закрылись, и приступов больше не было. Но Ларри все равно меня боялся, панически опасался любого контакта. Он, конечно, делал вид, что просто не хочет доставлять мне неудобства, выполняет рекомендации докторов, но я видела страх в его глазах. Мой любимый человек (как бы ни сторонился меня муж, я все равно его любила) не мог заставить себя быть со мной прежним, чего бы в его страхе ни оказалось больше – опасения заразиться туберкулезом или брезгливости из-за приступов, – положение дел это не меняло, Ларри боялся.

Что делать, уверять, что я не опасна, что больше не кашляю, каверн нет, приступов тоже, что все в порядке? Но это унизительно и для меня, и для него. И я приняла другое решение.

– Я больше не люблю тебя...

– Что?!

Нет, Ларри не увидел протянутый спасательный круг. «Не люблю», значит, меня можно не целовать даже в щеку, можно держаться чуть в стороне, можно отдалиться на физически безопасное расстояние. Я дала такой повод, но Ларри услышал другое – его обидели, им пренебрегли!

Потом Ларри много раз и со вкусом рассказывал друзьям о моем заявлении, рассказ обрастал подробностями, Оливье словно подсказывал, как именно и в чем его надо жалеть, чтоб не пришло в голову жалеть за какие-то неуспехи. Жена больна – туберкулез, нервы ни к черту... Приходится зарабатывать за двоих, да еще и алименты... И вдруг такое заявление. Явная помеха творчеству, а он притом еще как играет!

Жалели, сочувствовали, восхищались. А между нами возникла стена, она словно стеклянная, видно, что творится по другую сторону, кое-что слышно, но не всегда. Но развод в планы Ларри не входил никак, бросить больную, беспомощную жену некрасиво даже для гения. Друзья еще не до такой степени жалели его, чтобы Ларри мог себе позволить свободу, купленную такой ценой. Да и к кому уходить?

Я вижу все достоинства и недостатки Ларри, вижу его актерскую гениальность и человеческую паршивость (недаром Сэлзник однажды сказал, что Оливье все будут вспоминать как гениального актера, но никто как хорошего человека), вижу уловки, к которым он прибегает, все понимаю, но это не меняет моего к нему отношения. Не меняет!

А тогда я выкарабкалась не только физически, я решила, что если Ларри не нужна моя любовь, если я не могу подарить ему настоящую семью, то должна хотя бы встать рядом профессионально. Удивительно, но я не задумывалась, что профессионально-то мешаю Ларри больше всего. Однако желание вернуться на сцену заставило не только соблюдать рекомендации врачей и принимать противные лекарства, не только не позволило сникнуть, но и возродило далеко идущие планы.

Для Ларри мое возвращение в строй означало всего лишь начало выступлений. Нам нужны деньги, потому что «Нотли» и моя болезнь съели все сбережения, а в дом еще вкладывать и вкладывать...

От бесконечных забот (и страхов) у Ларри тоже начались нервные приступы. В Нью-Йорке он сорвался. Было от чего, надежду вернуться в Голливуд пришлось оставить, Сэлзник без меня не желал брать Ларри, хотя прямо об этом не говорил (снова мы повторяли Ларри и Джилл!).

Но стоило вернуться на сцену и в кино, как все возобновилось. Я пытаюсь вспомнить, сколько раз Ларри срывал мне возможность сняться в хорошей роли или сыграть такую в театре, и сбиваюсь со счета. Он не смог помешать только в первые годы в Америке, потому что не был властен, но с тех пор...

Я вернулась на сцену в ролях каждой из трех сестер в «Лире», была прекрасно принята публикой, но Оливье почти сразу заменил «Лира» своим обожаемым «Ричардом III», где мне играть практически нечего. Почему?

Сэлзник все же предложил сыграть вдвоем в «Сирано де Бержераке», зная, что я мечтаю о роли Роксаны. Моему условию: «Только вместе!» Дэвид не удивился, лишь пожал плечами. Ларри позволил мне воспрянуть духом, немного помечтать, согласившись сниматься вместе, а когда поднялась в облака, грубо вернул на место. Это было сродни выброшенному в окно «Оскару» – Ларри вдруг наотрез отказался сниматься, мотивируя предложением снять «Гамлета». Роксана осталась мечтой.

Конечно, для Ларри «Гамлет» предпочтительней, это его обожаемый Шекспир и съемки в Англии. Ларри блестяще сыграл Гамлета, хотя все твердили, что и фильм, и его исполнение слишком холодные. Но «Оскара» за эту роль Ларри получил! Однако, снимая «Гамлета», Офелию он мне не предложил, мотивируя это возрастом. Офелией стала совсем юная Джин Симмонс, которую приходилось прямо на съемочной площадке, а вернее, после съемок учить играть, что Ларри делал с великим удовольствием. Сорокалетний режиссер связался с восемнадцатилетней девчонкой! Ревновать глупо и не ревновать тоже. Я снова вспомнила Джилл Эсмонд и Грир Гарсон.

История повторялась... Почему я была уверена, что со мной такого не случится?

Потом от Корды последовало предложение сыграть Анну Каренину с Ларри-Вронским. И снова та же тактика: согласие, надежда и отказ! У меня начались приступы...

Конечно, я вспомнила все предупреждения Джилл, конечно, злилась сама на себя, но выхода у меня не было и нет. Если есть, то один – делать вид, что все в порядке, загоняя и загоняя свои переживания внутрь. Когда их становится слишком много, начинается приступ, потом следуют медсестры со шприцем, клиника доктора Фрейденберга и сеансы ЭКТ.

«Ты выбрала себе персональное пыточное устройство и с восторгом сунула в тиски не только руки и ноги, но и саму душу».

Если Марион могла так точно угадать мое тогдашнее состояние, значит, я не одинока? Неужели есть и другие такие же, способные с восторгом лезть в эти самые тиски, точно зная, что прижмет и будет очень больно? Неужели так много душевных мазохисток, для которых позволить причинить себе боль, исковеркать еще кусок души, заставить плакать горькими слезами доставляет радость?

Как же с этим бороться?

В пыточное устройство я влезла с головой и ногами, мало того, уже зная, что Ларри просто не желает играть вместе со мной, что каждый раз будет искать повод либо не играть самому, либо не брать на роль меня, я все равно попадалась на тот же крючок. В результате играла с кем-нибудь и что-нибудь, с горечью наблюдая, как обожаемый супруг то вводит спектакли, где для меня есть только эпизоды, то учит жизни молодую девчонку.

Был еще один вариант, его Ларри использовал во время гастролей в Австралии. Стоило ему понять, что я снова встаю вровень, Оливье выкидывал на сцене какую-нибудь шутку, сво-

дившую на нет всю прежнюю трактовку образа и превращавшую серьезный монолог в буффонаду. Срывал аплодисменты, радуясь, что утер мне нос.

Гастроли в Австралии окончательно превратили нашу пару в формальность, мы уже только играли роли супругов перед окружающими, почти ненавидя друг друга.

В Австралии произошли две страшные вещи: Ларри ударил меня при свидетелях, уже не стесняясь даже студенток, только за то, что я оказалась нерасторопна и замешкалась с выходом на сцену – не могла найти свою сценическую обувь. Студентки, выполнявшие роли костюмерш, пришли в ужас, но разве такая мелочь могла смутить Великого Оливье?

А еще я увидела спектакль «Ричард III» со стороны, из зала. Когда в нем участвуешь, ощущение совсем иное, больше уделяешь внимания сотрудничеству с партнерами, чем собственно их игре. Ларри с каждым спектаклем совершенствовал роль Ричарда и довел ее до такого уровня, что все ахали. Когда я поняла, от чего именно ахают, стало страшно.

Он не играл Ричарда, а был им! Это мне знакомо, я полгода была Скарлетт, потому роль и получилась. Актер обязан жить жизнью своего героя, но только не Ричарда! Ларри слишком вживался в этого героя, настолько, что терял контроль над собой. На сцене это само воплощение зла, возникало чувство физической усталости, тоски, гнета, зрителям стало тяжело смотреть пьесу.

А НЕ ПОСЛАТЬ ЛИ К ЧЕРТУ?

Ларри, художник не должен ждать наград от правительства и вообще от власть имущих! Только от коллег! И от тех, ради кого мы выходим на сцену или съемочную площадку, – от зрителей. От зрителей аплодисменты, а от коллег тоже ждать не стоит, дадут сами – хорошо, не дадут – можешь обижаться сколько угодно, только не говори об этом вслух.

Но добиваться награждения рыцарским званием не стоило совсем, да еще так настойчиво и после того, как все узнали о твоей зависти к Ральфу Ричардсону, получившему эту вожделенную для тебя приставку «сэр» и баронство.

«Барон Оливье»! Фи! Я согласилась бы, преподнеси тебе его на блюдечке, но ведь ты добивался этого. Я завидовала? Нет, Ларри, если я чему-то и завидовала, то только твоему таланту, твоей технике игры, твоей гениальности, а еще уверенности в себе. Но, клянусь, это белая зависть! Зависть ученицы к учителю, а завидовать приставке «барон»... было бы чему.

Любое награждение должно быть подарком, почти сюрпризом, а не выпрошенным признанием заслуг. Я полагаю,

правительство и само могло бы заметить и перечень твоих шекспировских ролей (не хочется думать, что ты ради этого торопился сыграть все главные мужские роли в шекспировских спектаклях), и твои гастрольные заслуги, и особенно старания поднять на новую высоту театр Англии. К чему было привлекать леди Сибилл Коулфакс и сэра Стаффорда Криппса? Так ли нужно тебе это рыцарство, чтобы ради него при каждой возможности напоминать о своих заслугах перед театром и Англией, причем не просто напоминать, а просить, чтобы напомнили в правительстве, чтобы подсуетились, замолвили словечко? Замолвить словечко за ведущего актера английской сцены? Такая просьба, мне кажется, ниже твоего достоинства, Ларри.

Честное слово, мне казалось, что ты готовишь сюрприз: получив известие о внесении в список ежегодных награждений в Букингемском дворце, горделиво откажешься. Потому, когда ты позвонил с сообщением об этом внесении, я поинтересовалась:

– Конечно, ты же не согласишься?

– Конечно, соглашусь!

Не уверена, что, находись я в то время не в Париже, а рядом с тобой в Лондоне, мне удалось бы остановить это глупое безумие. Ты можешь сколько угодно твердить, что я завидовала, мне все равно, я в тысячу первый раз повторяю, что художник, актер ни в коем случае не должен добиваться никакого награждения, будь то «Оскар» или рыцарское звание! Не всегда те, кто заслужил, получают их, как не всегда получают те, кто заслужил, но лучше не получить, зная, что заслуживаешь, чем обладать наградой, зная, что просто выклянчил ее!

Обижаешься? Ну и обижайся! Надув губы, выговаривать всякому встречному, что тебя обошли и не дали того, что дали кому-то, – недостойно большого мастера! Когда баронство дали Ральфу Ричардсону и ты дулся на всех, срывая недовольство на

«Актриса состоялась. А жена?»
Вивьен Ли. 1955 г.

«Америка не желала признавать нас мужем и женой, но мы все равно были счастливы. Заключению брака мешало отсутствие разводов с первыми супругами, а те все тянули».
Вивьен Ли и Лоуренс Оливье в день окончания съемок «Унесенных ветром». 1939 г.

«Через два десятка лет мы всего лишь играли счастливую семейную пару. И играть с каждым днем становилось все трудней. Стать супругами легче, чем ими оставаться».

Вивьен Ли и Лоуренс Оливье. 1959 г.

«Мужу очень нравились вот такие моменты: визит королевы-матери в театр. Ларри сноб, он даже сумел стать сэром Лоуренсом».

Вивьен Ли приветствует королеву-мать. 1954 г.

«...И очень не нравилась моя общественная активность. Но не борьба за сохранение театра стала причиной его ухода – Ларри оправдывал измену моей болезнью».

Вивьен Ли на митинге в защиту театра «Сент-Джеймс». 1957 г.

«У меня прекрасные друзья, такие как Лорен.
Ей моя болезнь не мешает».
Вивьен Ли и американская актриса Лорен Бэколл. 1966 г.

«Но чаще я одна...»

Вивьен Ли. 1966 г.

«Да, я одна, но я справлюсь!»
Вивьен Ли. 1967 г.

мне, я твердила это же: правительство не должно награждать художников любого уровня, это ставит их в зависимость, в первую очередь моральную, от награждающих. Это ложное положение, часто компрометирующее художника. Ты не внял:

– Почему у Ральфа Ричардсона есть, а у меня нет? Вот если бы нас наградили обоих, было бы замечательно.

– Что тебя беспокоит больше – то, что дали Ричардсону, или то, что не дали тебе?

Ты разозлился, усмотрев в моих словах злую поддевку. Поддевка была, но не злая, я очень не хотела, не хочу и никогда не захочу, чтобы ты терял свое величие как актер, как личность за какие-то подачки. Выпрошенное звание даже барона все равно подачка, если бы дали сами, был бы подарок.

Я не просила и не ждала, и, по твоему мнению, не заслужила, потому отказалась становиться рядом с тобой «леди Оливье», я осталась тем, кем была в действительности, – просто Вивьен Ли, актрисой Вивьен Ли, супругой блистательного сэра Оливье.

Знаешь, если бы ты не подчеркивал столь рьяно то, что получение рыцарства твоя и только твоя заслуга, что только ты достоин этого, наверное, я бы порадовалась возможности законной приставки «леди» к своему имени. Но ощущать эту приставку простой подачкой даже от тебя, Ларри, не хочу. Лучше уж я побуду Вивьен Ли.

Я зря волновалась, что ты можешь обидеться из-за моего отказа называться леди Оливье, кажется, ты даже не заметил этого. Сэр Лоуренс Оливье, ваша самовлюбленность не делает вам чести.

Конечно, меня никто не спрашивал, как называть, обращались «леди Оливье». Самое удивительное, что в Австралии к Лоуренсу обратились как к «сэру Ли», тем самым назвав меня леди, а его – моим супругом. Ларри – прекрасный актер, у него

достало сил посмеяться, мол, вот и стал приложением собственной супруги, но потом, вечером, когда попыталась пошутить, он прошипел сквозь зубы:

– Чтобы нас с тобой не путали, будем ездить врозь!

Оказалось, это не пустая угроза.

«Лучший способ привлечь его внимание – послать к черту!»

Опля!.. Ну, это уж слишком...

Марион утверждала, что ни одно предположение нельзя отвергать без доказательств, а если не знаешь, как относиться, нужно попытаться представить, что было бы, если бы это произошло.

Я не знаю, как к этому относиться. Попробуем представить.

Я без Ларри. Брр... но он – смысл моей жизни, как можно быть без него? Мое нутро категорически не принимает даже попытку такое представить. Но не бывает того, чего не могло бы быть. Чье это выражение? Не помню, будем считать, что мое.

А как я без Ларри, с самого начала или теперь? Если посылать к черту, то теперь.

Пробую представить ситуацию, если Ларри меня бросит. Я останусь одна... Неправда, меня не бросят друзья, есть те, на кого я могу положиться, не бросит Ноэль Кауард, Фрюэн, не бросит Ли, Лорен Бэколл, не бросит мама, Джон Гилгуд... Даже Мерривейл, и тот будет звонить и писать. Значит, не одна.

Но я не смогу играть! Что мне делать в театре без поддержки Ларри? Где взять роли без него?

Какого черта?! Я давным-давно играю без Ларри, а часто вопреки ему. В кино мы вместе не снимаемся, Сэлзник будет только рад предложить мне роли без Оливье. В театре на правах супруга Ларри организовывает мне никчемные роли, в свои спектакли не допускает, в чужие со мной не идет. Все

под видом заботы о моем слабом здоровье. На Цейлоне посреди джунглей в разгар душного сезона для моего слабого здоровья не вредно, а на английской сцене вредно.

Как играла, так и буду играть, что с ним, что без него. Без него даже свободней.

Но если Ларри меня бросит, мир действительно рухнет! Мой мир рухнет.

Стоп, я что-то не то пытаюсь представить. Вопрос стоял иначе: что будет, если я его пошлю к черту, я его, а не он меня! А вот это уже совсем другое дело. Результат тот же? Нет, не тот.

Интересное состояние, словно играешь в шахматы сама с собой, прекрасно зная достоинства и недостатки противника, не позволяя сама себе красть пешку или доставать из рукава запасного ферзя. Ни поддавки, ни жульничество невозможны.

А если не жульничать... Жизнь не кончится даже без Ларри, она просто будет другой. Какой? Мрачной, серой, никчемной?.. Снова что-то не то, это сейчас она у меня мрачная, серая, никчемная просто потому, что я который день пролеживаю матрас на кровати в обнимку с листами бумаги и книгами. Но книги не читаю, а бумагу трачу на то, чтобы излить свои страдания. Ладно, если бы, излитые, они тут же забывались и перестали волновать, но ведь этого нет!

Неужели Марион не права, и мне не помогает такой способ «лечения»?

Что там у нас по плану? «Послать его к черту».

Уникальный способ прийти в себя после лечения в психиатрической больнице. Может, так и надо? Продолжим.

Итак, завтра прямо с утра я посылаю Ларри к черту. Интересно, а как это сделать – нужно позвать его к себе, встать в позу какого-нибудь памятника поэффектней и указующим жестом обозначить направление: «Иди к черту!»? Надо ли при

этом добавить обращение «дорогой»? «Дорогой, иди к черту!» Да, пожалуй, так звучит вежливей.

Он удалится, во всяком случае, из спальни, но через четверть часа в нее ворвутся громилы в белых халатах, последуют новые уколы и ЭКТ. И еще неизвестно, кто из нас куда уйдет.

Нет, просто взять и послать рискованно, я ведь недавняя «выпускница» психушки, мне такие вольности непозволительны. К тому же Ларри просто не поймет, о чем я. Надо придумать нечто менее рискованное, но более эффектное.

Почему я все о себе и о себе, своих страданиях, своих переживаниях, своих неприятностях? А не подумать ли нам о несчастном Лоуренсе Оливье? Действительно, счастливый Ларри или несчастный? С его точки зрения, второе, хотя многие говорят ему, что первое.

Чтобы одолеть кого-то, нужно знать его сильные и слабые стороны.

Талантливый актер (сам он считает, что самый-самый, я не спорю), красивый мужчина, у которого есть сын, есть красивая и умная жена (пусть попробует возразить!), прекрасный, уютный дом, любимая работа и приличный доход. Чего не хватает Ларри? Чего-то же не хватает, если он несчастлив?

Говорят, друзья познаются в беде. Моя беда показала, кто друг, а кто только делает вид, что является таковым. Удивительно то, что никто из моих друзей не сбежал, не покинул, не отвернулся, напротив, большинство стали внимательней, даже моя публика оказалась на моей стороне. Эти любовь, доброта, внимание лечат, дают силы не бороться (зачем бороться с самой собой, ведь моя болезнь тоже часть меня?), а жить и любить всех в ответ. Ли, Освальд, Сюзанна, мама, Гилгуд, Мерривейл, Кауард... я даже не могу перечислить всех, они все со

мной, никто не отвернулся, даже те, кто, как Нивен, видели самые ужасные минуты приступа.

А Ларри, почему я ничего не пишу о Ларри?

Сейчас я напишу страшную вещь, но это так. Ларри – единственный, кто испугался по-настоящему. Я понимаю, это страшно – увидеть, как близкий тебе человек вдруг превращается в настоящего монстра, способного крушить все вокруг. В давние века таких сжигали на костре, принимая приступ за одержимость дьяволом.

Но в том-то и дело, что никакие сеансы электрошоковой терапии, никакие жестокие лекарства не помогут, они лишь способствуют выведению из приступа. Но ведь приступ может закончиться и сам, если больного окружить заботой и лаской, причем именно тому, кому человек доверяет. Я недаром просила вызвать в Лос-Анджелес маму, если невозможно связаться с Ларри. Я поверила Джону Букмастеру и начала успокаиваться, когда Нивен и Грейнджер взяли штурмом дом, где сидели мы с Джоном, выгнали самого Джо, а меня попытались напичкать снотворным. А ведь достаточно было просто оставить на время в покое...

От Ларри требуются внимание, забота и любовь. Только настоящие, а не сценические и не экранные. Но где их взять, если любви больше нет, она испарилась с моим первым туберкулезным кашлем. Можно бояться заразиться, а потому вести себя осторожно, но не шарахаться же! А первые приступы психической болезни подкосили и остальное.

Я не осуждаю Ларри, если заботиться обо мне, не останется сил и времени для себя, любимого. У Марион было такое утверждение: «От человека, который привык от тебя все время получать, не стоит ждать, что он будет отдавать». Я не стала комментировать, но это верно.

В нашей с Ларри паре всегда ведущим считался он, правда, друзья говорили, что это на сцене, а вот дома и в остальной жизни веду я, а мой муж только исполняет мои капризы. В действительности не так, и дело не в том, что я сначала готовила возможность эти капризы удовлетворить, а потом капризничала.

Ларри всегда был ведущим и заботливым только там, где это ему ничего не стоило либо противное угрожало имиджу. Лидируя на сцене и в выборе ролей и спектаклей, он думал не обо мне и моем успехе, а о своем. Представляя нашу пару как ведущую на английской сцене, меньше всего думал о том, чтобы в самой паре не было перекоса. Подавая мне руку при выходе из машины или спуске по трапу самолета, подливая вино или интересуясь, не нужно ли чего, — заботился о своем имидже, а не о моем удобстве. Я понимаю, что джентльмен (особенно тот, кого уже зовут сэром) просто не может вести себя иначе, джентльменское поведение у Ларри не в крови, но въелось в натуру основательно, Оливье отменно вежлив, только не стоит принимать его вежливость за желание мне помочь, угодить или выполнить каприз. Не нужно забывать, что Ларри — блестящий актер, который играет 24 часа в сутки, даже когда спит, играет спящего человека.

Легко заботиться о супруге, если для этого требуется всего лишь согласиться провести отдых в Италии (предварительно я все учла, вплоть до желания самого жертвователя, продумала и подготовила) или поинтересоваться: «Тебе шампанское, дорогая?» Иное дело, если предстоит выбор — отдыхать в этой самой Италии, якобы обдумывая будущую постановку, или мучиться в адских условиях цейлонских джунглей на съемках ради заработка. Или решить, что предпочтительней — провести несколько дней, успокаивая супругу, у которой приступ, либо просто накачать меня смертельной дозой препарата и связан-

ной отправить в психиатрическую лечебницу, дав согласие на применение просто пыточных методов лечения. Что меньше испортит имидж – честное признание, что жить в ожидании следующего приступа не в силах, сиделкой быть не желает, и объявить о разводе с больной женой или трусливо делать вид, что ничего не произошло, в надежде, что следующий приступ будет столь сильным, чтобы от Фрейденберга уже не выпустили. Что лучше – побороться за любовь супруги, если чувствуешь, что все может развалиться, или, наоборот, отправить ее вместе с другим на съемки и всем плакаться в жилетку, что подозреваешь измену?

Ларри всегда выбирал второе, то, что требовало как можно меньше усилий и не испортило его имидж гениального актера и сильного человека. Про актера не спорю, но человек мой дорогой Ларри не просто мелкий, а мизерный по сравнению с гениальностью.

Даже мама возмущалась:

– Вив, как ты можешь изменять Ларри с Финчем?!

– Кто тебе сказал, что я изменяю Ларри?

– Сам Ларри.

– Он может это доказать?

– Но вы с Финчем слишком много времени проводите вместе, даже на Цейлоне...

Плакать или смеяться? Сниматься в «Слоновьей тропе» Ларри отказался сам, а когда я со злости предложила Финча, немедленно согласился. После нашего отлета, помахав на прощанье рукой и смахнув несуществующую слезу, Ларри принялся жаловаться всем, что, во-первых, я улетела с Финчем, во-вторых, он подозревает, что это не зря, слишком уж Питер оберегает меня, в-третьих, съемки в подобной третьесортной ерунде в ролях, где непременные объятия, до добра не доведут...

Мой дорогой супруг забыл, что сам попросил Финча на время съемок быть моим опекуном, что с Питером приехала его жена Тамар, которая немало помогла мне и во время приступа, и по дороге в Америку.

Интересно, почему мой супруг, все же прилетев на Цейлон после отчаянных телеграмм режиссера, не набил физиономию «обидчику», а поиграл с ним в шахматы, развернулся и улетел обратно отдыхать в Италию, где продолжил распространять слухи об измене, вернее, жаловаться всем на свои страдания по этому поводу? Так ревнивые и обиженные мужья не поступают.

Это нечестно — сначала отправить нас с Питером в Париж, а потом кричать, что мы сбежали, отказаться от съемок на Цейлоне, а потом обвинять меня, что вынуждена сниматься с Финчем, настаивать на электрошоке, а потом притворно вздыхать, что я после этих процедур стала другой...

Все эти дни, делая записи или читая, беседуя с друзьями или просто лежа в темноте, я размышляла и размышляла, анализируя, когда изменились наши с тобой отношения, когда произошло это отчуждение, почему не получилось пары Оливье–Ли.

Физическое отчуждение произошло после того, как у меня обострился туберкулез. Это не страшно, потому что форма не открытая, целовать мужа я не стремилась, достаточно долго (куда дольше необходимого для полной безопасности) провела взаперти и в одиночестве, но Ларри испугался. Я не осуждала и не осуждаю, Оливье слишком боится за свое драгоценное здоровье.

Но и физическое отчуждение было бы невозможно, не будь отчуждения эмоционального. А оно появилось после... Скарлетт и провала нашего спектакля «Ромео и Джульетта», когда американские репортеры (это не Тайнен, который готов хвалить Лоуренса за что угодно и привычно ругать меня) назвали

меня лучшей Джульеттой, а Ларри худшим Ромео. Джульетту уже сыграли гораздо лучше, а вот Ромео хуже не смогли.

Ларри просто не простил мне успех на фоне собственного неуспеха. Творческая ревность оказалась хуже ревности мужской, сценическая пара развалилась, не сложившись.

Но что бы ни происходило с нами и вокруг нас, моя беда и одновременно счастье в том, что под маской нынешнего Лоуренса Оливье я вижу того самого Ларри, который обнимал меня в «Пламени над Англией», прыгал с декораций во время спектакля, рискуя не только сломать ногу, но и свернуть шею, который был счастлив учить меня актерскому мастерству. Пусть многие говорят, что есть Лоуренс Оливье внешний, блестящий актер, и Оливье настоящий, которому лучше не попадаться на пути, я знаю, что внутри есть и настоящий Ларри. Моя беда в том, что его не вытащить, что честолюбивые мечты глубоко похоронили романтика, способного совершать гениальные безумства, заменив циником, способным всего лишь гениально играть чувства.

И я уже не верю, что можно вытащить того первого, однако не дам втоптать меня в грязь второму.

«А не послать ли мне его к черту?» Нет, не получится. Это доставит удовольствие сэру Лоуренсу. Мы в разном положении – я страдаю из-за развала самой большой любви, а он из-за того, что все никак не закончится.

Верю ли я, что возможно вернуть прежние чувства или отношения? Конечно, нет. Но я не могу прекратить все вот на такой ноте, кроме того, в наших отношениях недосказанность. Ларри сам не знает, чего ждет, а я знаю. Он хочет, чтобы именно от меня исходило предложение о разводе, чтобы я начала этот разговор, чтобы я послала его к черту.

Если следовать вопросам и сентенциям, предложенным доктором Марион, я именно так и должна поступить: понимая, что

возврат прежних чувств и отношений невозможен, стряхнуть прошлое, как пыль с ног, и пойти дальше. Марион твердит, что чем дольше я буду тянуть, тем труднее это сделать, чем дольше все будет длиться, тем больше вероятность, что я окажусь пострадавшей стороной.

Я все равно пострадавшая, и Ларри тоже. Мы оба пострадали от крушения нашей любви, нашей семьи, наших надежд. Но, конечно, мне вовсе не хочется, чтобы развод состоялся из-за моей болезни, а значит, я должна доказать, что могу жить без приступов, по-прежнему могу играть и быть хозяйкой гостеприимного дома.

Ты вообще потерял ощущение границы между реальностью и вымыслом, между ролями и жизнью? Нет, еще хуже – ты просто перестал жить, ТОЛЬКО играешь! Ты хоть отдаешь себе отчет, что пытаешься на сцене в роли свести счеты с теми, с кем не можешь расправиться в жизни?

Ларри, это страшно, это очень страшно. Меня пугает даже не мерзость личности, которую ты намерен играть, хотя если вспомнить твою способность вживаться в роль, сливаться с ней, то и впрямь можно испугаться. Но я боюсь распределения остальных ролей. Ты рассказал всем, что я страшно обиделась, не получив роль леди Анны, мол, почти закатила истерику, узнав, что играть будет Клер Блум. Идиот, настоящий идиот! Роль Анны не столь привлекательна, чтобы за нее бороться, а наблюдать воочию, как сверкают ненавистью твои глаза, – страшно.

Ларри, еще раз: ты не отдаешь себе отчета, что сливаешься с ролью не только на сцене или во время репетиций, но слишком много берешь от каждой роли. К сожалению, берешь не у Ромео или даже Меркуцио, а у героев, подобных Ричарду. Но куда страшней другое. Ты много лет не можешь ни переиграть

как актер, ни пересилить как постановщик Джона Гилгуда и постоянно соперничаешь с Ральфом Ричардсоном (одно соперничество за приставку «сэр» чего стоит!). И вот теперь в роли ты получаешь возможность Гилгуда в роли Кларенса убить, а Ричардсона в роли Бэкингема заставить целовать себе руку.

Только не говори, что это бред сумасшедшей. Ты бы видел себя со стороны, когда радовался такому раскладу ролей, говоря о сценической победе Ричарда над своими соперниками, о судьбе Кларенса и унижении Бэкингема. Ты же не делаешь различия между Гилгудом и Кларенсом, между Ричардсоном и Бэкингемом. Не удается сокрушить в реальной жизни – убьешь на сцене? Какое счастье, что ты больше не играешь Гамлета рядом с Гилгудом-Лаэртом, иначе заколол бы его уже на репетиции.

Сумасшедший!

Я не хочу больше играть с тобой, даже в шекспировских спектаклях не хочу!

РЯДОМ С ПРЕКРАСНОЙ БЛОНДИНКОЙ

Я давно не писала, даже тетрадь забросила. Просто однажды Ларри попались на глаза мои записи, хорошо, что недостаток времени не позволил ему разобраться в том, что же это такое. Правда, подозрения были, мой супруг решил, что я пишу мемуары, зло пошутил на эту тему, но тогда обошлось.

Не желая рисковать, потому что, прочитай это Ларри в действительности, мне не миновать клиники доктора Фрейденберга, я убрала свои бумаги подальше и сделала вид, что просто размышляю о том, как играть роли, о которых пока только мечтаю. Помогло, творческие искания Вивьен Ли моего супруга интересуют мало, Ларри фыркнул и о записях забыл.

А сейчас вытащила снова, потому что назревает интересный период, я уже предчувствую серьезные изменения...

Из Нью-Йорка позвонил Милтон Грин и предложил Лоуренсу снять фильм и самому сняться в главной роли по пьесе Рэттигана «Спящий принц». Сразу несколько вопросов: кто та-

кой Милтон Грин, где будет сниматься фильм и кто продюсер, кто будет играть Мэри Морган – главную женскую роль?

Эту пьесу мы с Ларри с успехом играли в сезоне 1953 года, что же теперь?

Все ответы не в мою пользу, и все они таковы, что рот раскроешь от изумления. Милтон Грин – фотограф «Фокса», ставший совладельцем «Монро продакшн», так, кажется, называется их совместная с Мэрилин Монро независимая кинокомпания.

– Что сняла эта компания?

– Пока ничего, это будет первый фильм.

Да, Мэрилин Монро в самоуверенности не откажешь! Начать сразу с известной пьесы и пригласить в качестве актера и режиссера Лоуренса Оливье... Но если она дает деньги, то и главная роль ее? Рэттиган как-то не очень уверенно намекнул мне о возможности сыграть эту роль, а я уверенно отказалась. К чему вообще что-то обсуждать, если я прекрасно понимаю, что Ларри найдет тысячу и одну причину не играть вместе со мной?

Я не очень поняла грубость Ларри при разговоре на эту тему. Достаточно было бы просто заявить о своем согласии снимать американский секс-символ и самому сниматься с ней (особенно в любовных сценах), к чему сообщать об этом мне столь вызывающим тоном?

– Я не понимаю, ты спрашиваешь совет или ставишь меня в известность о своем решении играть с Монро?

– Но она продюсер фильма, ты должна понимать, что это значит!

– Ларри, не нервничай, я прекрасно понимаю, что роль Мэри Морган будет играть сама Монро, в этом нет ничего удивительного. Да я и не рвусь, потому что повторить перед камерой то, что мы с успехом показывали на сцене три года назад,

едва ли возможно, мы не те. Меня удивляет другое. Давно ли ты не признавал за Монро никаких достоинств, кроме тех, что выпирают из декольте?

– Неужели тебя так обижает невозможность сыграть Мэри самой?

– Меня? Ничуть. Я несколько переросла эту роль и по возрасту, и по стилю. Ларри, я не претендую на участие в фильме вместе с тобой, мне найдется чем заняться. Кауард предлагает сыграть Александру в «Шорохе южных морей».

Даже если бы я сказала, что намерена репетировать Анну Каренину с Финчем в роли Вронского, эффект был бы тот же: облегченный вздох и поцелуй в лоб:

– Я рад, дорогая, что ты все понимаешь правильно.

– Ларри, едва ли ты меня послушаешь, но я все же предупрежу. Не переоценивай себя и не недооценивай ее. Я не знаю, какая актриса Мэрилин Монро, но она красивая женщина. Молодая, красивая женщина, кажется, влюбленная в своего умного мужа. К тому же всем известны сложности работы с мисс Монро и твой далеко не ангельский нрав на репетициях.

Ответный смех получился натянутым, но на то ты и великий актер, чтобы справиться с собой:

– И все же ты немного ревнуешь, дорогая. Не стоит.

– Я просто понимаю, что бесчисленные проблемы выльются потоком жалоб на мою голову.

– Обещаю не жаловаться.

Разговора не получилось, ты не услышал моих опасений, которые совсем не беспочвенны. Наши актеры привыкли работать с тобой, не возражая, привыкли к тому, что ты можешь оскорбить или вдруг оказаться грубым, к требованиям дисциплины, иногда граничащим с самодурством. Я просто не представляю, как ты сумеешь сладить с Мэрилин Монро, которая известна полным отсутствием дисциплинированности. Она

будет продюсером, потому ни возразить, ни обругать ее ты не сможешь.

Но ты уже все решил, английской славы и популярности мало, нужна всемирная, пора завоевывать Голливуд, который, если дело идет обо мне или ком-то другом, ты порицаешь. Я уже не удивляюсь – привыкла. Мои «Оскары» – ничто, подпорка для двери, твой – заслуженное признание гения. Обычно Голливуд – сборище бездарей и коммерсантов, но если туда приглашают тебя, он становится достойным пристанищем таланта.

Хочешь лететь в Америку и договариваться с Монро – лети, хочешь снимать – снимай, только потом не жалуйся. Я прекрасно понимаю, что будешь жаловаться, но ничего поделать не могу, остается только заниматься своими делами. Мы перестали быть не только семейной парой, мы и театральной быть перестали. Остается лишь игра в пару Оливье–Ли перед журналистами. Это внутренне коробит, но я играю. Зачем? Неужели я верю в то, что восстановление возможно?

Возрождается только птица Феникс, все остальное гибнет безвозвратно, тем более любовь. Но верно говорят, что надежда умирает последней, пока есть хоть малейший шанс, мы будем старательно изображать дружную пару. Ларри, а тебе это нужно?

Я сейчас понимаю, что для меня эта игра – бегство от окончательного поражения, вернее, попытка скрыть поражение от всех. После стольких лет адюльтера, стольких надежд и громких заявлений о непременном торжестве любви, после психушек и скандалов вдруг развестись... Это равносильно признанию перед всем миром, что я упорно лезла в большую кучу дерьма, старательно закрывая глаза и нос и не слушая предупреждений, что впереди, хотя мне со всех сторон кричали, чтобы была осторожней.

Это не просто жизнь с крепко зажмуренными глазами, это еще и уши с ватой. Наш развод для меня был бы крахом всего, ты прав. Именно для меня, ты нашел бы способ выплыть, встать на ноги, доказать, что я висела на твоих ногах гирей, и, освободившись, ты только прибавишь в таланте и возможностях. Я ничего доказать не смогу, потому что больна душевно и все об этом знают. Меня просто затравит тот же Трайнен, и ты, дорогой, пальцем не пошевелишь, чтобы его приструнить. Зачем, если нападки Трайнена, как всегда, работают на твою популярность?

Видишь, Ларри, я все прекрасно понимаю, я даже знаю, что развод будет, только не знаю когда. Я вижу все наши проблемы, не вижу только выхода из них для себя, а потому послушно играю самую трудную роль в своей жизни – роль супруги гениального Лоуренса Оливье.

Ты для себя уже все решил и все придумал. Что будешь делать? Снова доведешь меня до приступа и отправишь на ЭКТ? Заставишь весь мир жалеть себя из-за сумасшедшей супруги? Напоишь смертельной дозой снотворного? Я не овца для заклания, но не готова сопротивляться, не готова держать удар, как это называется. Мне сначала нужно найти свое место в жизни отдельно от тебя.

Ларри, мы тихо поженились, столь же тихо должны и развестись, скандала я не выдержу, как и затягивания. Помнишь притчу о хозяине, который, «жалея» собаку, рубил ей хвост не весь сразу, а по частям. Я этот самый щенок уже без кончика хвоста. Не могу понять, что именно убьет, вернее, сведет меня с ума скорей – последнее движение топора или сам страх перед ним. Ужасно...

Ноэль Кауард предложил сыграть в «Шорохе южных морей». Я согласилась, надеюсь прийти в себя, когда начнутся репетиции. Как мне не хватает Алекса Корды! Он собирался

снимать «Макбета», обязательно взяв меня на роль леди М., я понимаю, что ты отговорился бы от участия в фильме, это позволило бы мне сыграть леди Макбет так, как ее вижу я, а не ты.

Ларри, смешно, но во всем есть свои плюсы. Я радуюсь, что ты не сможешь играть в «Шорохе южных морей», иначе наверняка испортил бы мое видение роли Александры.

Знаешь, это, наверное, самая большая твоя ошибка – мы никогда не смогли бы стать второй парой Ланн–Фонтенн, потому что пара – это двое равноценных партнеров, а не божественный Оливье и его никчемная супруга, неважно, кто именно в роли супруги. Фрюэн прав – Джилл стала неугодна, когда выяснилось, что уступать первенство она не намерена. Но я-то уступала, всегда уступала, Ларри! И не моя вина, что в паре предпочтение отдавали мне, а в одиночку блистал больше ты. Ты гениальный актер, но не парный, а единоличный, это не одно и то же.

Видишь, я даже это понимаю, а потому не противлюсь возможности играть врозь. И дело не в том, что фильм будет сниматься на деньги Монро, ты все равно нашел бы повод либо не снимать меня, либо не сниматься самому. Играй, снимай, будь успешен, когда тебя хвалят и со всех сторон поют дифирамбы, ты относишься ко мне милостивей.

Теренс Рэттиган согласен с предложением Монро, ты тоже, остальным просто некуда деваться, фильм будет сниматься на студии «Пайнвуд» в Лондоне (почему не в Голливуде?), и ради прекрасных глаз мисс Монро вы отправились в Америку. Кстати, почему не она в Англию, если уж все остальные участники будущих съемок здесь? Но подозреваю, что красотка едва ли имеет представление о существовании вообще чего-то за пределами Америки.

Нет, я несправедлива, она бывала в Корее, помню газетные фотографии – Монро в летнем платье на фоне раскрывших рты американских солдат в теплых куртках.

Что это, я ревную? Наверное, да, потому что Ларри неделю разглядывал фотографии Монро в журналах, делая вид, что пытается понять, сумеет ли она сыграть Мэри Морган. Смешно, потому что играть там, собственно, нечего, достаточно просто следовать указаниям режиссера, на сей раз великого Оливье.

Она действительно хороша, а по поводу всего остального – поживем, увидим.

Ларри, прости, дорогой, но ты выглядел крайне смешно во время интервью с Монро. Неужели ты не понял, что всем этим журналистам совершенно наплевать на твое присутствие, тебя вообще могло там не быть, достаточно поздороваться вначале и сразу уйти, потому что они собрались ради фигуры Мэрилин.

Репортеры выбросили из статей все вопросы, которые задавали тебе (а ведь ты маялся перед ними в ожидании прекрасной Блондинки больше часа!), и вместо твоих пространных рассуждений о достоинствах пьесы Теренса и будущего фильма оставили лишь описание того, как порвалась бретелька ее платья! Поистине, Америка есть Америка. Ларри, как ты это пережил? Кажется, только увлечение мисс Монро спасло тебя от приступа ярости. Собственное унижение ты попросту проглотил, значит, она очень хороша. Интересно, ты его хотя бы заметил?

Только не забудь, что Мэрилин влюблена в своего Артура Миллера и что она мно-ого моложе тебя. Ларри, дорогой, это для меня ты почти идеал, другие могут так не думать, и за последние двадцать лет твой облик заметно изменился, увы, не в лучшую сторону. Легкомысленной любительнице сексуальных поз и всеобщего обожания едва ли нужен строгий англичанин, а что до интеллекта и снобизма, то у нее есть Артур Миллер.

Какая я жестокая!.. Но было обидно наблюдать, как тебя превратили в нечто вроде студийной мебели, своей старинной элегантностью вынужденной оттенять яркую молодость Королевы красоты. Покорение Англии Америкой, при этом Англия выглядела в лучших традициях занудной чопорности, а Америка – пышущей здоровьем молодостью. Ее шутки были достаточно плоскими, но зажигательными, а твой английский юмор, совершенно непонятный большинству собравшихся, – демонстрацией скучного снобизма.

Ее сексапильная красота – блистательным будущим, твоя строгая сдержанность – веком ушедшим. Ясно, в чью пользу выбор.

Долго стояла перед зеркалом, пытаясь понять, во что превратилась сама. Нет, сравнивала себя не с Мэрилин Монро, мы слишком разные, а с тобой. Вывод удивительный: временами прав бывает даже Тайнен, который пишет о взрослении (читай: старости) и необходимости переходить к возрастным ролям.

Сейчас я больше всего боюсь, чтобы ваш фильм не провалился, это было бы слишком сильным ударом для тебя, а следовательно, и для меня, ведь все твои неурядицы и проблемы рикошетом отлетают в меня, временами даже усиливаясь.

Как хорошо, что у меня есть работа у Кауарда!

О Мэрилин Монро – просто взахлеб и с надеждой сделать из нее настоящую актрису. Это уже было, неужели ты снова мечтаешь стать Пигмалионом, а в качестве Галатеи на сей раз выбрал американскую Королеву красоты? Ларри, опомнись, это уж совсем не то, что тебе нужно!

Удивительно, но на сей раз я даже не ревную, хотя ты явно влюблен. Может, не ревную потому, что есть куда более сильные чувства – радость и обида одновременно? Мне не до Мэрилин Монро и ее красоты.

– Ларри, у нас с тобой будет ребенок. Я беременна...

– Ты уверена?

Ты блестящий актер, дорогой, тебе удалось справиться с чувствами за мгновение, но я все же успела их прочитать. Первой мыслью, несомненно, было раздражение, если не злость на меня. Понимаю – не вовремя, очень не вовремя. Перед тобой перспектива общения с такой красоткой, да и вообще ребенок не входил в твои планы...

– Да, врач подтвердил.

– Вивьен, но не рискованно ли это, учитывая твое здоровье?

– Конечно, рискованно, хотя врачи не видят опасности, уверяя, что я справлюсь. Я буду беречь нашего малыша.

А вот за следующий вопрос мне захотелось влепить тебе пощечину...

– Ты бросишь репетиции и будешь со мной на съемках?

– Нет, дорогой, я не брошу работу, просто постараюсь вести себя осторожно. И мешать тебе снимать тоже не буду, по себе знаю, как нервирует чье-то пристальное внимание.

Вздох облегчения и тут же заверения в любви и надежде на благополучный исход этой беременности. Конечно, ты рад будущему ребенку, в этом я не сомневаюсь, и, конечно, беспокоишься о моем и его здоровье и благополучии. Да, это «не ко времени», когда забот и без того хватает, причем забот, от которых может зависеть твое будущее. Ты должен суметь доказать, что являешься режиссером не менее талантливым, чем актером. Я не знаю, смогу ли тебе помочь, но уж мешать не буду.

— Для Монро и Миллера нужно снять жилье.

— Какие-то особые требования?

— Нет, ничего сверхъестественного, хотя кое-что оговорено. И прислугу тоже.

— Если доверишь, я займусь этим, пока не отправилась на гастроли.

Конечно, я тревожусь за новую жизнь, зародившуюся внутри, но понимаю, что думать только о своей беременности нельзя, это может плохо закончиться. Нет, я постараюсь просто быть осторожней, а в остальном вести обычную, нормальную жизнь.

Ларри занят исключительно подготовкой к съемкам, я — поисками жилья для именитых визитеров и репетициями «Шороха...». Для роли нужно танцевать и делать это профессионально. Требования роли означали, что мне придется заняться танцами. Я не стала говорить Ларри о таких требованиях. Почему? Наверное, потому, что боюсь его равнодушия, хотя муж старательно изображает перед камерами заботу и любовь. Но когда камер и вообще чужих глаз нет, остается только озабоченность собственными делами.

Внимательный, почти недоуменный взгляд на мою талию, которая откровенно начала увеличиваться, хотя еще не бросается в глаза под одеждой:

— Ты действительно ждешь ребенка?

— Ты в этом сомневался?

— Нужно объявить об этом репортерам, потом все внимание будет отвлечено Монро.

— Не думаю, что это хорошая идея. Пусть занимаются Монро, я обойдусь без фотокамер.

Но мы позировали, хотя поцеловать меня перед камерами ты все же отказался. Я твердо решила не придавать значения

ничему, ни на что не обращать внимания, кроме своего растущего животика и роли в «Шорохе южных морей». Какое счастье, что тебе не до меня, и я могу играть по-своему!

Сегодня прилетели Мэрилин Монро с Артуром Миллером. Вернее, Монро и огромная команда сопровождающих. В аэропорту мы все четверо старательно изображали радость от встречи, Монро подставляла нам с Ларри щеки, а репортеры щелкали кадр за кадром, как мы с Ларри с двух сторон целуем американскую диву.

Парксайд-Хаус на Инглфилд-Грин, который я нашла для звездной пары, им понравился, прислуга пока тоже не вызвала нареканий. Мэрилин, несомненно, ощущает свой статус звезды и ведет себя соответственно. Возможно, где-то там, за закрытыми дверьми и наедине с мужем и друзьями, она иная, но перед камерами и нами с Ларри (мы чужие) она держится со звездным пафосом.

Репортеры были готовы снести и нас с Ларри тоже. Оливье даже обиделся таким излишним вниманием к гостье и некоторым невниманием к себе лично, но вида не подал, со стороны незаметно, но меня не обманешь. Только бы обошлось, я знаю, что такое Ларри, когда кому-то уделяют внимания хоть немного больше, чем ему.

Очень красивая женщина, при желании просто лучащаяся внутренним светом (не зря говорю, что при желании, на неловкого помощника был брошен такой взгляд, что я ему посочувствовала). Монро держит себя с королевским величием, что совершенно неприемлемо в Лондоне и обеспечит ей если не проблемы, то уж наверняка непонимание. Англия не Америка, здесь так себя держать может только настоящая королева, остальным по статусу не положено.

Первые проблемы уже появились.

Монро привезла с собой немыслимое число помощников и еще больше багажа. Хорошо, что снятый особняк достаточно велик, хотя прислуге я не завидую. Звезда устала и потребовала несколько дней отдыха, прежде чем начать репетиции перед фильмом. Ларри только пожимал плечами: прилетая в Америку, мы на следующий день уже приступали если не к съемкам, то к подготовке обязательно. Дорог каждый день, но как возразишь той, на чьи деньги эти съемки производятся? Ей платить...

Монро – «сова», как и я, а совы легче переносят смену полушарий, когда день и ночь меняются местами. Но, похоже, здесь проблема не только в этом, у Ларри будут трудности...

Как мне ее жалко! Очень хотелось просто посидеть и поговорить по-дружески. Мэрилин – несчастная женщина, я в этом абсолютно убеждена, она может играть что угодно – счастливый брак, полную уверенность в своих силах и в своем будущем вместе с Артуром Миллером, но глаза не обманут. Нет, она умудряется даже глаза подергивать томной поволокой. У меня такое ощущение, что маска приросла к ней, и лишь изредка, когда рядом нет никого, кто мог бы заметить человека под этой маской, Мэрилин позволяет себе чуть-чуть погасить свою ослепительную улыбку и опустить уголки губ.

Если бы не моя занятость в спектаклях и не гастроли, обязательно нашла бы время, чтобы с ней поговорить наедине.

Газетчики жаждут крови, они совершенно убеждены, что ты влюбишься (если уже не влюбился!) в прекрасную американку. Ларри, неужели это возможно? Если так, то ты непоследователен, дорогой, совсем недавно ты считал Монро всего лишь обладательницей роскошного тела и симпатичной мордашки, к которым, увы, не приложены мозги.

Неделя привыкания к английскому времени, английскому климату и английскому левостороннему движению прошла, начались репетиции.

Как хорошо, что у меня свои спектакли и проблемы, иначе все выливалось бы на мою несчастную голову. Спектакли каждый вечер в «Лирике», это дает мне возможность мало бывать дома и не слишком вникать в проблемы взаимоотношений с американцами. А проблемы явно есть, и немалые.

Монро привезла с собой репетиторов, прежде всего Паулу Страсберг, это ее обычная техника игры и съемок. Сначала показалось, что все неплохо, Ли Страсберг известен своим методом игры с погружением, его супруга Паула должна репетировать с Мэрилин каждую сцену, прежде чем та выйдет на площадку. Для начала Ларри решил пройти все с самой Паулой. Разве это плохо? Но...

Ларри, вместо того чтобы устраивать в Нью-Йорке вечеринки и очаровывать мисс Монро, тебе не мешало бы поинтересоваться техникой ее работы, ты же прекрасно знал, что она не профессионал, что играет либо по наитию, либо с большим трудом. Почему же все обошлось только любованием прекрасной Мэрилин и разговором с Уайлдером? Нужно было воочию посмотреть, как Паула или Ли учат Мэрилин в своей Актерской студии, поговорить с Ли Страсбергом, обсудить с ним проблемы.

Ты захотел сделать из Монро великую актрису, не поинтересовавшись результатами других, уже пробовавших сотворить это. Возможно, она великая актриса, я не видела ее в игре, но то, что ваши методы работы не совпадают совершенно, не оставляет сомнений. Разве это нельзя было выяснить раньше и попросту отказаться от съемок? Или ты знал, но был слишком очарован прекрасной американкой? А может, слишком надеялся на свои режиссерские способности?

Мисс Монро не намерена менять свой характер и свои привычки ради Лоуренса Оливье. И учиться у тебя явно не намерена. Твое дело – только сыграть свою роль и снять ее в ее роли, а подсказывать, как играть ту или иную сцену, будет Паула Страсберг. Не нравится? Но возразить ты не можешь, ведь продюсер фильма сама Мэрилин.

Ларри, ты попался в ловушку, выхода из которой просто нет. Я не завидую ни тебе, ни ей, ни себе...

Неужели ты действительно назвал ее сучкой? Понимаю, что не в лицо, но в присутствии ее мужа? А Миллер повторил в дневнике и намеренно оставил его раскрытым на виду у жены?

Хороши же вы оба! Артур поступил вдвойне подло, они ведь едва-едва женаты, Мэрилин смотрит на него, как кролик на удава, ловит каждое слово, считает самым умным и для себя интеллектуально недостижимым. Ему бы поддержать жену, да еще и снимающуюся у столь серьезного человека, как Лоуренс Оливье, а Миллер демонстрирует свое к ней пренебрежение.

Я не вмешиваюсь в ваши дела и ваши отношения, вполне достаточно твоих бесконечных жалоб уже на стадии репетиций то на Паулу Страсберг, то на саму Мэрилин, не желающую подчиняться никаким правилам и дисциплине. Еще ничего не снято, а уже поток негодования, что же будет, когда прозвучит команда «Мотор!»?

Но и человеческие отношения безобразны. Будь такое в Голливуде, мы привычно списали бы все на низость голливудских нравов. Но мы в Лондоне, Ларри, а Мэрилин и Артур только что поженились. То, что произошло между ними, ужасно, я не хотела бы знать, что и ты к этому причастен. Ты знаешь, я не люблю голливудских красоток и не считаю Монро кем-то кроме носительницы красивого тела. Да, она простолю-

динка, ей далеко до интеллекта и Миллера, и твоего тоже, да, у нее нет образования, а актерские навыки столь невелики, что едва ли о них стоит говорить вообще... Она самонадеянна и неуверенна одновременно (ужасное сочетание), у Монро звездная болезнь (у кого ее нет?), проблемы с алкоголем и памятью, с дисциплиной и умением работать профессионально... Можно долго перечислять эти проблемы, но ведь ты обо всем знал.

Я уверена, ты справишься, только не смей больше оскорблять женщину, с которой работаешь и которой совсем недавно восхищался, даже за глаза и наедине с ее мужем не смей, это непорядочно. А на Миллера я после этого случая не могу смотреть.

Еще страшней думать, что ты мог вот так же обсуждать меня с кем-то. Так хочется верить, что этого не было и даже не могло быть, хотя я прекрасно понимаю, что вполне могло. До брака все будущие жены идеальны, после брака вдруг превращаются в ходячих мегер и похитительниц спокойствия, здоровья и счастья.

У нашего брака все было несколько иначе – до момента получения официального статуса супругов мы успели оценить друг друга, и я давно превратилась в ту самую ходячую похитительницу спокойствия и хорошего настроения.

Мне кажется, что у Монро с Миллером ничего не получится, слишком они разные, физическое влечение еще не все, немного погодя оба поймут, что слишком разные. Не потому, что он интеллигент до мозга костей, а она в школе-то едва ли училась. Просто из Миллера никогда не получится доктор Хиггинс, а из Монро его воспитанница, они не Пигмалион и Галатея. Артур никогда и никого не будет ни воспитывать, ни образовывать, а Мэрилин слишком дорожит своим звездным статусом, чтобы вообще стараться измениться. Все ее игры с учебой у Страсберга или кого-то другого не больше чем кокетство. Она не Элиза

Дулитл и не станет часами репетировать что-то, что не подходит ей лично и, по ее мнению, нарушает этот самый звездный статус.

Вы с Миллером оба ошиблись, она не намерена подчиняться вашим требованиям. Но тебе ошибка обойдется не дороже проваленного фильма и пары месяцев мучений, а вот Артуру будет куда трудней...

Ларри, какого черта без конца жаловаться на ее опоздания! Разве ты не знал о непунктуальности миссис Миллер? Помоему, весь мир об этом говорил: Мэрилин Монро непунктуальна, ее опоздания и неспособность запомнить простейшие реплики переходят всякие границы...

Если бы я могла тебе советовать, вернее, если бы ты прислушался к моим советам или хотя бы выслушал их, я сказала бы, что нужно прогнать Паулу Страсберг, потому что эта советчица никудышная, умение петь дифирамбы никогда помощью не считалось. Но ты решил, напротив, сотрудничать с Паулой, потому я не вмешиваюсь.

Интересно, верны ли мои наблюдения? Попробую записать свои ощущения, чтобы потом проверить.

Итак, мне кажется, что Паула больше вредит, чем помогает, потому что, с одной стороны, убеждает Монро, что та – величайшая актриса если не современности, то уж кинобизнеса непременно, с другой – что не может и шагу ступить без совета, поддержки, подсказки... Эта поддержка и советы должны непременно исходить от самой Паулы, как от представительницы величайшей школы Страсберга.

Я видела Паулу в работе всего лишь раз, но впечатление удручающее. Возможно, она все делает из лучших побуждений, возможно, кому-то другому они с Ли и принесли пользу, пробудили творческое начало, научили своему «методу», но Мон-

ро к таковым явно не относится. Не берусь судить о ценности и самой сути их метода, но по тому, что знаю, мне кажется, что он приемлем для актеров, уже имеющих солидную технику, то есть для тех, кому нужен лишь эмоциональный посыл.

У Монро техники нет абсолютно, она не умеет играть и не играет, хотя, возможно, именно в этом ее сила. Жеребенок, резвящийся на лугу, куда органичней лошади, обученной приемам выездки. Но тогда нужно исходить именно из жеребячьей прелести, а не требовать умения гарцевать или брать препятствия.

Ларри привык работать с актерами, обученными технике, а не с любителями, пусть и очень красивыми. Одно дело пресс-конференция с оборванной бретелькой, совсем иное – площадка и камера. И две недели репетиций никого не спасут, Монро не будет играть, просто потому, что не умеет этого делать. Она будет проживать жизнь героини на площадке, но проживать по собственным законам, подстроиться под которые остальным участникам будет крайне трудно.

Мой прогноз: все перессорятся со всеми, Ларри возненавидит обеих дам и Миллера заодно, все это выльется на мою несчастную голову, потому что Оливье обожает жаловаться на жизнь именно мне. Дай бог, чтобы при этом сам фильм каким-то чудом удался.

Но я должна быть спокойной и держаться от всех проблем подальше, мне нельзя волноваться. Попросить бы Ларри вообще не рассказывать о съемках и проблемах с Монро, но как это сделать? У меня самой был очень трудный, физически трудный сезон, все же роль Александры с танцами требует немалых сил, в моем положении это непросто, но я справилась. Еще несколько спектаклей, и мы закончим, можно будет передохнуть (подозреваю, что именно тогда и навалятся основные проблемы взаимоотношений Ларри и Монро).

Каждый день одно и то же: Монро невозможна, Паула невыносима, дело не двигается с мертвой точки, а прошел уже месяц со времени их приезда.

– Ларри, что тебя беспокоит, если деньги платит сама Монро? Отдыхай, пока ее нет на площадке.

В ответ взрыв негодования и обвинения в непрофессионализме. Я тоже не выдержала и накричала, что не заставляла его ввязываться в эту нелепую затею.

Господи, съемка началась всего неделю назад (после двух недель попыток репетировать), а Ларри уже рвет и мечет, он готов убить свою напарницу, обзывая избалованной шизофреничкой.

– Ларри, будь добр, не вымещай свое недовольство мисс Монро на мне.

Но призывы пропадают втуне, он, может, и хотел бы, да не способен, слишком возмущает несчастного Ларри необязательность его работодательницы. Что же дальше?

Я могу рыдать сколько угодно, могу часами сидеть, уставившись в одну точку, могу рвать на себе волосы или кричать во весь голос, это ничего не изменит – ребенка не будет! Снова выкидыш!

Мы уже закончили сезон в «Лирике», можно бы и отдохнуть, я планировала уехать хоть ненадолго с мамой, но... Конечно, виновата сама, конечно, не уберегла...

– С твоим слабым здоровьем нечего и думать выносить ребенка, продолжая играть в театре. Нужно было сидеть дома или вообще лежать!

Ларри, несмотря на столь жестокий выговор с твоей стороны, вместо того чтобы поддержать меня, мне показалось, что в твоем взгляде и даже голосе мелькнуло облегчение. Да, конечно, отсутствие ребенка развязало тебе руки.

Очень хотелось возразить, что лучше бы не выливать на меня свое недовольство съемками «Принца и хористки», но мне даже это не под силу. Я не могла ссориться, просто не хотелось жить. Судьба жестоко наказывала меня за обиду, нанесенную Джилл и Холману. Нельзя построить счастье на чужом несчастье, теперь я понимаю это. Наш брак не мог быть благословлен небесами, потому что из-за него пострадали двое хороших взрослых людей – Джилл и Ли, и двое детей – Тарквиний и Сюзанна.

Но если мы платим по счетам, то почему только я? Неужели ты не желал этого брака, неужели для тебя и впрямь была важна только близость и только несколько лет?

Тяжелые мысли не дают покоя. Казалось, жизнь начала налаживаться, я уже привыкла к тому, что мы не играем вместе, что мне приходится уступать тебе лучшие сцены Лондона, что ты легко меняешь меня на другую партнершу. Но всего лишь по сцене или съемочной площадке. Ларри, неужели недалек тот день, когда ты сделаешь это и в жизни?

Я никто и ничего не могу. Больная женщина, неспособная больше рожать детей, посредственная актриса, которой просто повезло сыграть несколько удачных ролей, ходячее, вернее, лежачее отчаяние... Мама суетится рядом, я ей очень благодарна, но это мало помогает, исправить мое физическое и даже психическое состояние она не в силах. Я не состоялась ни как мать (Сюзанна никогда не простит мне отсутствия в ее жизни), ни как жена, ни как актриса.

Почему? Неужели потому, что всем пожертвовала в угоду своей любви к Ларри? Но ведь и Ларри ничего не смогла дать. Детей не смогла выносить и родить, от семьи осталось одно название, в уютном и гостеприимном доме что-то не так, потому что муж оттуда сбегает при любой возможности, актриса тоже

слабая, если не талантом, то физически, простая роль в одном спектакле за сезон привела к выкидышу...

Мама возражает: роль была очень тяжелой, со множеством танцев, к тому же спектакли ежедневно, а то и два раза в день, кроме того, множество проблем из-за ваших с Монро съемок, и дом мой обожают друзья, а Ларри просто не любит присутствия гостей, и актриса я великолепная, иначе не было бы четырех месяцев непрерывных аплодисментов только с последним спектаклем, не говоря уже о двух «Оскарах»...

Но это все слова утешения, я ее понимаю. Однако не признать, что у меня остался только Ларри, даже мама не может. Если не будет этой семьи, которой вроде и нет, если не будет этой любви, которая давно кончилась, то не будет самой надежды на будущее.

А что такое будущее и зачем оно мне? Сюзанна взрослая, у нее своя жизнь, мама обойдется без меня, для Ли я плохой утешитель и советчик, хотя ему очень трудно из-за неприятностей на фирме, друзья меня жалеют, но у них свои семьи и дела, в кино больше не зовут, в театре ролей почти нет, остается только Ларри, если уйдет он, я останусь совсем одна против целого мира.

Выпить горсть таблеток и закончить эту ненужную борьбу, развязав тем самым руки всем, кто вынужден помогать, сочувствовать, переживать за меня?

Меня не зря увезли в Италию, никто и никогда не видел Вивьен Ли вот такой: опустошенной и обессиленной. Даже после клиники доктора Фрейденберга я не была такой, тогда оставались силы бороться за себя.

Снова и снова один и тот же вопрос: почему я такая неудачница, ведь стараюсь быть оптимисткой, стараюсь соответствовать всем предъявляемым мне требованиям? Я не лентяй-

ка, доброжелательна, всегда готова прийти на помощь, если могу, поддержать, принять гостей, забыть о своих интересах ради другого, особенно Ларри, готова работать над ролью день и ночь... За что мне все это?!

Я сама себе отвратительна, захватывает чувство собственной никчемности, ощущение черной дыры, в которую проваливаешься, пустоты в душе... Вокруг люди, которые сочувствуют, пытаются улыбаться, но улыбки кажутся натянутыми, а сочувствие излишним. И одиночество... всепоглощающее... беспросветное...

Валери Хобсон застала меня в состоянии, близком к катастрофическому, мама больше ничего со мной поделать не могла, Ларри некогда.

– Из-за чего умираем?

– Я потеряла ребенка.

– Я знаю, дорогая. Ты не одинока, я понимаю, что это катастрофа, но жизнь не закончилась. А пока ты жива, вставай, и пойдем пить кофе или чай, я еще не решила, что именно.

– Валери, я не в состоянии шутить.

– Я с тобой не шучу. Если уж ты не приняла упаковку таблеток, могла бы уделить мне немного внимания.

Через полчаса она уже решила, что забирает меня с собой в Италию, где у них с Джоном прекрасный особнячок.

– Нет-нет, я не могу! У Ларри трудные съемки, он сильно устает и нервничает.

– Вот поэтому и нужно уехать. Подумай сама, Ларри и без тебя хватает забот и нервов, не лучше ли оставить его одного хотя бы на время? Если ты боишься, что сюда переедет Монро, то зря, ее опекает Миллер, я точно знаю.

– Глупости, ничего я не боюсь. Просто...

Валери обратилась к Оливье:

— Ларри, после всего, что случилось, Вивьен лучше немного развеяться, ты не находишь?

Хобсон красавица и умница, к тому же она просто излучает оптимизм, а еще Валери умеет распоряжаться, особенно мужчинами. Вот кому удается сочетать семью и актерскую карьеру! Двое сыновей, причем старший серьезно болен, и развод ничуть не умерили пыл моей подруги и не притушили ее оптимизм. Второй брак, последовавший сразу за разводом, у Валери удачен, ее Джон Профьюмо — редкая умница и не меньший оптимист. Блестящий политик, которого непременно ждет министерский пост, остроумный насмешник с удивительным, острым взглядом. Ради него и детей Валери бросила артистическую карьеру, хотя была очень успешна.

Ларри согласился, и Хью Бомонт помог нам выехать втайне от репортеров, чтобы не бросились следом. Шпионская операция удалась, мы исчезли из Лондона, обманув дежуривших в ожидании сенсационных неприятностей газетчиков. Ларри обещал звонить как можно чаще и писать тоже.

Валери врачевала мою больную душу так, как заботливый хозяин лечит больную лапку щенку или котенку. Не было никаких наставлений и поучений, не было долгих бесед, она просто вытаскивала меня из мрака, в который вверг выкидыш, и показывала, что если уж жизнь не закончилась, то нужно замечать ее красоту.

— Вив, если совсем невмоготу, то надо было пить таблетки сразу. Но ты же не такая дура, чтобы это сделать? А если жива, то живи, а не существуй. Дорогая, запомни: всегда есть куда хуже.

— Обрадовала!

— Ты не дослушала. Но даже если все совсем плохо, это тоже хорошо, дальше жизнь будет только улучшаться.

Не могу сказать, чтобы такие жизнеутверждающие сентенции меня сильно радовали. Однако подруга не унималась:

– К тому же всегда есть те, кому еще хуже, чем тебе. Вот если им помочь, то самой становится в тысячу раз легче.

– Поэтому ты помогаешь мне?

– Тебе? Ты вполне можешь помочь себе сама, только не знаешь как. В Америке популярны психоаналитики.

– Знаю. Монро без них ни шагу, но как пила, так и пьет. И от краха семейной жизни с Миллером ее никакой психоаналитик не спасет.

Валери с интересом вгляделась в мое лицо:

– О... ты заметила все у Монро, хотя видела ее совсем недолго?

– Там трудно не заметить. Кому из них пришло в голову пожениться, они ведь слишком разные? Ларри как-то гадко обозвал ее, а Артур повторил эту гадость в дневнике. Мэрилин увидела, и был скандал.

– Ты из-за этого переживаешь?

– Нет, но понимать, что Ларри причастен к их ссоре, неприятно.

– Не Ларри, так кто-то другой, они слишком разные, и еще мне кажется, что Миллер слегка презирает свою пусть и красивую, но не слишком развитую супругу. Хотя, может, это и правда кажется.

– Нет. Она не так глупа, как пытается изобразить. У меня ощущение, что Монро – заложница собственного образа, вылезти из которого теперь означало бы потерять все завоеванное. Но она не умеет быть в образе только перед камерой, а в жизни это Миллеру страшно мешает.

– Вив, ты блестяще справляешься, когда нужно разобраться с чужими проблемами, почему буксуют свои?

— Со своими куда тяжелей.

— Попробуй.

— Уже пробовала.

— И что?

— Получилось. На время.

— Попробуй еще раз. Есть вещи, которые нужно повторять, чтобы закрепились.

— Я хочу сохранить брак с Ларри.

— Зачем? Если ты видишь, что он разваливается, если понимаешь, что не удержишь, а если и сумеешь, то ценой потери самой себя, то зачем, Вив?

— Я не могу без него.

— Та-ак... лечить нужно не твою депрессию и не последствия потери ребенка, а твое отношение к Ларри. Он сегодня звонил?

— Да, Ларри звонит каждый день.

— Жаловался на Монро?

— Жаловался, но ему действительно трудно из-за ее необязательности.

— Не спорю, с Монро всем трудно. Но меня интересует не американская красотка, а твой муж. Попробуй-ка разобраться в своем отношении к нему.

Все это умные и правильные слова, но мне совсем не хочется раскладывать по полочкам наши с тобой отношения, я просто хочу любить и быть любимой.

Ларри, хочешь, дорогой, я скажу тебе, отчего вдруг с тебя слетела вся любовь к прекрасной американке? Нет, ты никогда в этом себе не признаешься, потому что даже мысленно не допустишь, что такое может быть.

Не отрицай, ты практически влюбился в красотку Мэрилин, это был объект чувственного влечения. Когда выяс-

нилось, что она влюблена в своего супруга Артура Миллера и считает тебя занудным, почти старым англичанином, ты оскорбился, но не возненавидел ее. Не сомневаюсь, что, помани Мэрилин тебя пальчиком, Лоуренс Оливье забыл бы о ее непунктуальности и остальных недостатках и побежал по первому зову. Но!..

Монро совершила самое страшное – она не признала за тобой право диктовать твое видение роли и только его считать верным! Как бы ты ни был велик, эта американская красотка, не имеющая ни актерского образования (не считать же таковыми консультации Паулы Страсберг!), ни, похоже, образования вообще, посмела не признать в тебе единственного диктатора, несмотря на то, что сама выбрала тебя режиссером.

Я не знаю, чего здесь больше – уверенности американцев, что только они могут диктовать всем и все (но в самой Америке мы от этого не страдали); уверенности метрессы, оплатившей сами съемки (ведь это ее компания продюсировала фильм); убежденности исключительно красивой женщины, что все мужчины, оказавшиеся в поле ее обаяния, обязаны пасть к ногам и делать все, что она ни пожелает, а уж критиковать не имеют ни малейшего права; простой самоуверенности совершенно недисциплинированного и необязательного человека или самоуверенности, как ты пишешь, глупой бабенки, у которой нет ничего в голове.

Как бы то ни было, но она не признала за тобой права диктовать ей исполнение роли, возможно, Мэрилин так играла и раньше – как видела и сама понимала каждый образ. Ничего сложного в ее роли на сей раз (как и во всех предыдущих ролях) не было, нервничать ни к чему, как сыграла бы, так и сошло, но ты нервничал.

Ларри, я не сразу поняла, почему. Сначала даже с ревностью думала, что это из-за ее невнимания к тебе как к мужчине.

Потом объясняла все ревностью к Пауле Страсберг, которая явилась вместе с Монро советчицей от имени своего мужа Ли. Потом считала, что ты переживаешь из-за срыва сроков съемок и превышения сметы расходов.

Но потом подумала, что денежные претензии Мэрилин должна предъявлять только себе, потому это не может являться поводом для бешенства. Едва ли ты практически открыто во время съемок стал бы называть ее дурой, если бы все еще был влюблен. Нет, здесь что-то не так...

А вот то, что Монро советовалась не с тобой, а со своей Паулой и, главное, практически не обращала внимания на твои установки и советы в игре, объяснило все. Ларри, нашлась актриса (ты можешь говорить о ней что угодно, но она актриса, на фильмы которой зрители валят валом), которая просто наплевала на твою гениальность, на твою уверенность в праве диктовать всем и все (даже когда тебя не просят), на твое положение короля английской сцены. Это можно объяснить невежеством, американской привычкой не считаться ни с кем, ее безмозглостью (видишь, я помню все твои жалобы), но скорее другое. Отснятый материал-то хорош! Мэрилин хорошо играет, даже не выполняя твоих режиссерских требований. Пожалуй, она ничуть не слабее тебя самого, во всяком случае, во многих сценах даже менее манерная и более живая, чем король английской сцены.

Вот это, мой дорогой, выводит тебя из себя, и нечего сваливать все на ее непунктуальность и забывчивость. Главное не в том, что Монро не способна запомнить две фразы перед дублем (посмотрела бы я на тебя в ее состоянии!), а в том, что она не желает репетировать, а во время дублей, даже произнося отсебятину, восхитительно органична. Ларри, все твои установки летят в тартарары, на тебя плюют, но ты вынужден это молча глотать. Нет, я не права, ты не молчишь, напротив,

кричишь, ругаешься, жалуешься на Монро всем, вместе с ее подленьким мужем унижаешь бедолагу. Газетчики уже по десятку блокнотов исписали вашими с Артуром Миллером откровениями, за каждое из которых можно бы дать пощечину (и не одну!), вы вдвоем готовы загрызть женщину, от которой зависите финансово и морально, но ответить ей тем же – играть, не обращая внимания на нее, не можете. А Артур Миллер и вовсе сидит на ее шее.

Ларри, тебе впервые встретилась актриса, которая не желает с придыханием внимать и слушаться, которая играет сама по себе, как видит, как чувствует. Не просто играет – она тебя переигрывает! Да-да, в том материале, что я видела, Мэрилин органичней, живей, пластичней великого Оливье! Дилетантка переиграла мэтра, да еще и вопреки его советам!..

Как посмела эта самоуверенная красотка не просто не слушать великого Оливье, но и делать по-своему, а главное, это своеволие дало такие результаты?! Не в том ли истоки твоего недовольства, практически ненависти к Монро? Нет, не в ее непрофессионализме, опозданиях, неспособности запоминать текст, даже не в ее нежелании увлечься тобой как мужчиной дело, а в ее непослушании и способности сыграть самой, без твоих подсказок, скорее вопреки им, и сыграть так, что тебе остается только разводить руками, вспоминая слова Уайлдера о чудесах, которые творятся между камерой и пленкой, когда снимается Мэрилин Монро. Ты не можешь простить красотке Мэрилин того, что она не признает тебя гением, единственно способным дать указания, которые нужно свято выполнять!

Я повторяюсь, но пришедшее понимание столь неожиданно, что остается только повторять, чтобы убедиться, что я права. Однако говорить тебе это в лицо нельзя, последует такой взрыв эмоций, который просто сведет меня если не в могилу, то снова в больницу.

Если смотреть на свое отражение в зеркале, можно себе и понравиться, а вот в луже ты мелкий и грязный. Нечто похожее испытываешь, если смотришь в будущее в молодости и в прошлое с возрастом – одни и те же годы могут показаться столь непохожими, что впору думать, а я ли это? Поистине жизнь измеряется не количеством прожитых лет, а количеством покинувших человека иллюзий.

Что-то я совсем мрачно, но, когда вдруг начинаешь понимать, что ошиблась в своей главной жизненной иллюзии, становится не по себе. Моя главная иллюзия – Лоуренс Оливье. Божественный Лоуренс, великолепный актер, красивый мужчина, сильная личность.

Красивая пара... самая романтическая любовь... образцовая семья...

Никто не знал, что за этим фасадом.

Почему-то несчастная (я убеждена, что она несчастна) Мэрилин Монро помогла мне увидеть то, на что я старательно закрывала глаза. Наверное, даже Монро здесь ни при чем, просто у меня рухнули последние иллюзии.

С чем я осталась? Ребенка нет, ролей нет, здоровья нет, любви Ларри давным-давно тоже!

Вот, написала все в один прием, и стало легче. Проще всего обмануть того, кто желает быть обманутым, легче всего спрятать что-то от слепца. Но если человек жаждет обманываться и закрывает глаза на реальность, он не может не стать жертвой обмана. О чем меня предупреждали Джилл, Фрюэн, Ли, мама?.. Каждый о своем, но все вместе правильно. Но разве я могла поверить, что наша любовь когда-нибудь (даже в веках) может остыть, даже просто стать менее сильной, как-то измениться.

Почему это произошло? В этом виновата моя болезнь? Но ведь болезнь не всегда давала о себе знать, а все трещало по швам уже тогда, когда приступов еще не было. Когда появились

первые трещины? Неужели в Голливуде, когда я сыграла Скарлетт? Неужели за счастье воплотить свою обожаемую героиню я расплатилась собственным счастьем? Стоил ли «Оскар» такой платы?

Если честно, я не раз задумывалась об этом, но всегда предпочитала прятать голову в песок, чтобы не доводить саму себя до края. Даже тогда, когда по просьбе Марион начала записи, до конца все не довела... Ларри словно почувствовал угрозу, стал шелковым, предложил все забыть, намекая на мое «дурное поведение» на Цейлоне (то есть Финча) и приступы, я легко поддалась (легко обмануть желающего быть обманутым), и все вернулось в прежнее состояние. Тогда я очень быстро восстановилась, мы репетировали и играли, в том числе «Спящего принца», которого Ларри теперь снимал с Монро. Потом новые спектакли, гастроли, мечты о ролях и... все по-прежнему!

Снова у Ларри интересная работа, а у меня разная мелочь. Ларри учел все, возможно, он поступал так невольно, неосознанно, но ведь это правда! Обычно у мужа-режиссера жена всегда получает лучшие роли, этого никогда не было у нас с Оливье! Ларри мотивировал тем, что не желает, чтобы его обвинили в семейственности. Смешно, если вспомнить мечту о короле и королеве сцены.

Прошли времена, когда мне удавалось добиться для себя роли в «Клеопатре», в «Антигоне», «Лире»... Да, еще, конечно, «Трамвай «Желание»... Роль Бланш Дюбуа в этом сначала спектакле, а потом фильме сыграла, наверное, не меньшее значение в нашем отчуждении, чем Скарлетт или леди Гамильтон.

«Трамвай «Желание» Ларри совсем не нравился, роли для себя он в пьесе не видел, но нашумевшая и очень популярная на Бродвее пьеса обещала неплохой коммерческий успех, потому Оливье согласился поставить «Трамвай...» со мной в роли Бланш Дюбуа. Пожалуй, Ларри ничем не рисковал, поскольку

сам он был постановщиком, роль Бланш никому не казалась заметной, в случае успеха пьесы всегда можно гордо выпятить грудь, а в случае провала свалить все на дурной вкус американцев и мое неумение играть.

Это были времена, когда я еще умела настаивать на своем не только в выборе репертуара, но и в трактовке роли. Ларри, бывшему режиссером спектакля, хватило мужества признать перед всеми, что это мой и только мой успех. Я была счастлива и благодарна, тогда казалось, что сумела все-таки встать рядом со своим гениальным мужем. Что ж, если нам не суждено играть рядом в спектаклях, то хотя бы так – я актриса, он постановщик – мы сможем быть равными?

Наивность украшает только совсем юные натуры, с возрастом она становится похожей на глупость. Восемь месяцев аншлага должны бы убедить Ларри в моей состоятельности, тем более меня тут же пригласили сняться у Элиа Казана в этой же роли вместе с Марлоном Брандо!

Чтобы оценить трудность предстоящей работы, нужно вспомнить, что в «Трамвае «Желание» на Бродвее в роли Стэнли, безусловно, царил Брандо, это была «его» пьеса! Ларри пожимал плечами, мол, если мне хочется играть за спиной Брандо, то никто не мешает, а с материальной стороны даже полезно. А еще предрекал, что работать с режиссером Элиа Казаном нелегко, никаких скидок ни на мою звездность, ни на состояние здоровья, ни на возраст не будет.

Я вспоминаю о трех месяцах этих съемок, как о настоящем счастье! И это притом, что мы с Элиа Казаном спорили до хрипоты иногда из-за одной-единственной фразы. Но это отношений с режиссером не только не испортило, а укрепило нашу дружбу. И с Марлоном мы тоже смотрели друг на дружку исподлобья, и тоже стали друзьями.

Но съемочная группа подобралась прекрасная, споры бывали только творческие, никто не действовал за спиной, все друг другу помогали. Это тем более замечательно, что по роли Бланш Дюбуа больна психически и заканчивается пьеса и фильм ее отправкой в больницу. Сниматься было тяжело, но безумно интересно и приятно.

А потом мы вместе с Брандо получили «Оскаров». Да, за эту роль меня еще назвали лучшей актрисой года на Каннском фестивале. Даже Казан признал, что я переиграла Брандо в этом фильме, хотя вся Америка прекрасно знала, что это его пьеса.

Я боролась, Ларри, я отчаянно пыталась доказать тебе, что могу стоять рядом как профессионал. Нет, конечно, я работала вовсе не ради доказательств, а ради самой игры, но ради того, чтобы меня признал ты, я готова была заставить весь мир признать себя. Мир признал, Лоуренс Оливье – нет! Я имела два «Оскара», множество других наград, аплодисменты зрителей, но только не восторг собственного мужа.

В старых записях Марион была такая фраза, которую я предпочла пропустить: «Чем больше тебя будут ценить другие, тем меньше тот, от кого ты одобрения ждешь». И еще: «Ты прекрасно знаешь конец этой истории, как знаешь и то, что, сколько бы ни оттягивала, этот конец все равно неминуем».

Тогда я прекратила записывать, сказала Марион, что у меня больше нет возможности вести такой дневник. Я прекрасно понимала, что она права, что видит то, в чем я боюсь себе признаться, но решила сделать еще одну попытку... Попыталась жить, крепко зажмурившись.

Почему, зачем? Можно объяснить все нежеланием конфликтовать с Ларри, боязнью остаться одной, опасениями, что без него не смогу не только играть, но и получить интересные роли. Но все мои старания ни к чему не привели. Не

без Ларри, а рядом с ним я не получаю никаких достойных ролей, если таковые и удаются, всесильный Лоуренс Оливье немедленно заменяет спектакль (например, «Лира» на «Ричарда III»), либо в последнюю минуту отказывается от съемок вместе со мной, либо просто накладывает вето на мое участие в проекте, как было в «Комедианте» Джона Осборна, когда от меня потребовали играть в... резиновой маске, чтобы моя внешность не отвлекала внимание!

Нужно ли вспоминать, что теперь Ларри решил сняться в фильме по этой пьесе вместе с Плоурайт?!

Боязнь остаться одной? Но я давным-давно одна, больше того, я постоянно напряжена, потому что знаю: мой муж сделает все, чтобы отделить себя от меня. Мы не больше чем коммерческий проект, кажется, это теперь так называют? Ради выгоды и финансового успеха мы улыбаемся перед фотографами, но на всех фотографиях, сделанных случайно, смотрим в разные стороны, а в случае, когда Ларри приходится оказывать мне какое-то внимание, это либо сверхтеатрально, либо полно такого раздражения, что даже от фотографий меня коробит. Я одна, так стоило ли держаться за Ларри столько лет?

Марион права: чем больше меня ценят другие, тем меньше собственный муж. Зачем я столько лет пытаюсь доказать Ларри, что чего-то стою? Он прекрасно это знает, но чем больше я буду убеждать публику, что достойна играть ведущие роли в театре, тем яростней Ларри будет стараться закрыть мне такую возможность.

Я не хочу думать почему, вернее, прекрасно это знаю, но озвученное, тем более написанное, оно прозвучит, как приговор нашим отношениям.

Зачем я держусь за эти отношения? И в этом Марион права: я прекрасно понимаю, чем все закончится. Да, будет развод, невозможно все время играть прекрасную семейную пару, это

когда-нибудь надоест и моему мужу. И я сама просто устала эмоционально и даже физически. Десяток лет делать вид, что верю в любовь, которой давно нет, играть супругу Лоуренса Оливье ради... чего ради? Что это дает мне лично, кроме приступов?

Ничего!

Ларри был моим наставником на сцене, но уже давным-давно оказывается, что без наставника я играю куда лучше.

Был любовником, но давно остыл, мотивируя прохладное отношение полной творческой отдачей. Но я знаю причину – мои болезни, сначала туберкулез, потом приступы. Доказывать, что и то и другое для него безопасно, если меня нарочно не провоцировать, бесполезно, Ларри мной словно брезгует, зато с удовольствием отмечает любой мой интерес к кому-либо из окружающих мужчин или чей-то интерес ко мне. Сцены ревности (притом, что отношений уже больше нет) постоянны и временами невыносимо унизительны, вызывают лишь желание изменить действительно.

Был мужем, однако теперь им только зовется. Муж не стал бы при любой возможности отправлять жену в больницу или запирать на несколько месяцев в сырой и холодной комнате...

Финансовая выгода от нашего союза для меня ничтожна, все заработанные за фильмы, спектакли или гастроли деньги Лоуренс вкладывал и вкладывает в свои (свои, а не мои!) постановки, которые чаще всего приносят лишь убытки. В результате у меня нет никаких сбережений, в случае развода придется все зарабатывать сначала. Но меня это не беспокоит.

Наш брак был обречен с самого начала. Нельзя построить свое счастье на несчастье других. Ли остался одиноким до сих пор, Сюзанна росла без матери, Джилл тоже воспитывает Тарквиния сама. Как ни старались, а у Ларри с Тарквинием отношения не потеплели, а вот у меня с ним хорошие. В первые

счастливые годы мы словно забыли обо всех других, принесли столько несчастья окружающим людям, помня только о себе... Но почему же плачу по счетам одна я?

Тогда что меня держит рядом с Ларри? Тем более сейчас, когда Лоуренс словно нарочно отсекает от себя все, связанное со мной? Это не бред психически больной женщины, все так и есть. Ларри легко закрыл почти все спектакли, в которых я участвовала сначала вместе с ним, потом и просто одна, а если оставил, то легко передал все мои роли другим актрисам. Он уже много лет делает все, чтобы мы не снимались вместе и не играли на сцене. Продал «Дарем-коттедж» – дом, в котором начиналась наша совместная жизнь, словно ему мешает сама память о счастливых годах...

Осталось продать «Нотли» (в чем я не сомневаюсь) и разогнать театр. И то и другое не столь уж невозможно, Ларри не раз заводил разговор о том, что «Нотли» для нас велик (подразумевалось, что из-за отсутствия детей и нежелания Тарквиния жить с нами), а держать большой дом ради гостей бессмысленно.

А театр... Наш дорогой «Сент-Джеймс» намерены закрыть, правительство не собирается поддерживать английские театры, считая, что неразумно тратить на это деньги. Я в числе тех, кто ходит с плакатами протеста и добивается встречи с министром, Ларри... О, это отдельный разговор, заводить который я не буду. Встреча с министром все же состоялась, и даже Великий Лоуренс Оливье почтил ее своим присутствием. При этом репортеров несказанно удивило мое распухшее лицо, пришлось объяснить огромный синяк под глазом укусом насекомого и аллергией. Репортеры сделали вид, что поверили, против пары Оливье–Ли выступить никто не решился.

Ларри – каменная стена? Да, пока не наткнешься на нее тем самым глазом...

Так чего я жду? Когда-то Марион предложила мне попытаться хоть мысленно «послать его к черту». Делать это нужно было тогда, теперь поздно, теперь я просто буду дожидаться, как решит сам Лоуренс Оливье. Почему? Не знаю. Больше ни во что не верю, но устала...

Я даже знаю, к кому он уйдет – к Плоурайт. И, пожалуй, будет счастлив. Нет, у этой женщины не будет «Оскаров» или оваций, но это и не нужно. Все очень просто – Лоуренс Оливье уже встал на ноги, он достаточно велик, чтобы ни с кем не конкурировать, даже с собственной супругой, ему не нужно доказывать, что его «Оскар» размером больше чьего-то другого, слава у Ларри есть, имя тоже, теперь можно допустить в пару кого-то, кто не будет этой славе мешать. Вивьен Ли в качестве такой половинки не годилась, это стоило понять с первого дня, об этом меня предупреждала Джилл Эсмонд: «Придется быть либо актрисой, либо женой Ларри».

Надежда умирает последней, пока она еще теплится, я не предприму ни единого шага. Поздно что-то менять...

И ВСЕ-ТАКИ РАЗВОД...

Ларри, я получила твое откровенное послание. Четырнадцать страниц попыток убедить меня, что ты не можешь иначе!.. Разве это нельзя сказать прямо в глаза? Ты трус, ты просто трус! К чему многолетняя пытка постепенного разрыва? Мы пять лет ждали возможности соединить свои судьбы и теперь столько же тянем с разводом. Сюзанна пробует вселить надежду, что все еще образуется. Они меня жалеют, не понимая, что лучше было бы порвать сразу и обойтись одним приступом, чем медленно вытягивать жилы, делая вид, что все в порядке, и провоцировать эти приступы периодически.

Все считают, что я надеюсь на восстановление отношений, на продолжение семейной жизни. Ни на что я не надеюсь, просто сознавать, что ты выбросил меня в дальний угол, как ненужную больше игрушку, обидно. Нелепо рыдать: «Я отдала ему лучшие годы своей жизни! Я так его любила (люблю)! Как он мог так жестоко поступить со мной?!»

Нужно честно признать свое поражение и то, что избежать его было невозможно. Нам всегда кажется, что именно нас неприятности обойдут стороной, что плохое случится с кем-

то другим, но не с нами, что предадут кого-то другого, что мы сами не повторим чужих ошибок, если к тому же их прекрасно видим.

Я видела ошибку Джилл – она не пожелала быть на шаг позади тебя, признавать тебя первым и единственным, отводя себе роль послушной ученицы. Тогда мне казалось, что стоит учесть это, и счастье на долгие годы обеспечено. Я ведь отступала в тень, Ларри, я была на шаг позади, притушевывала свои успехи и выпячивала твои, была послушной ученицей даже там, где быть не следовало. Ты требовал быть одновременно достойной и незаметной. Но это невозможно.

Пара Оливье – Ли не состоялась так же, как пара Оливье – Эсмонд. Неудивительно, пара – это когда рядом, а когда один на шаг позади, это просто сопровождение. Теперь будет Плоурайт? Если у нее хватит ума бросить свою актерскую стезю, то вы будете счастливы, но если попытается доказать, что достойна быть половиной звездной пары, то участь окажется похожей на нашу с Джилл. Нельзя быть звездой рядом с Лоуренсом Оливье, ты выжигаешь пространство подле себя, не терпя никого на одной ступени. Это моя главная ошибка, у меня был выбор – быть просто твоей женой или актрисой. Я не осознала необходимости этого выбора, решив, что сумею быть тем и другим, вот и поплатилась.

Родные и друзья считают, что я держусь за тебя, за нашу якобы семью. В том и беда, что семьи давно нет, есть звездная пара Оливье – Ли, есть два актера, играющие эту пару. Мы играем по твоему настоянию, помнишь разговор после моего пребывания у доктора Фрейденберга? Почему же ты, заставляя меня игру продолжать, предаешь?

Ларри, я не хочу думать, что ты просто подготавливал общественное мнение для оправдания своего ухода. Да, это удобно – объяснить все моей болезнью, моими приступами, переносить

которые окружающим тяжело. Лоуренс Оливье боролся до последнего, он до последнего надеялся на чудо, которого не произошло, так?

Конечно, второй развод и оставление без помощи больной жены не делают чести никому. Второй развод, да еще и после столь долгого адюльтера, какой был у нас с тобой, плохо скажется на имидже добропорядочного и гениального актера. И ты просто решил принести в жертву меня. С твоей точки зрения, все правильно: я больна, вишу гирей на твоих ногах, тебе нужно развиваться, а не ухаживать за женой, мои приступы ужасны...

Но, Ларри, никакого ухода за мной от тебя никогда не требовалось, а приступы ты вызываешь сам. Нет тебя рядом, нет унижающих меня известий от тебя – нет и приступов. Ты же не можешь не признать этого.

Рекс Харрисон при его репутации неисправимого Секси Рекси женился на смертельно больной Кэй Кендалл, не испугавшись ее диагноза, просто он любил Кэй. Наверное, если знаешь о поддержке любимого человека, и умирать не так страшно.

Если женщине сказать, что она самая красивая в мире, – не поверит. Но если сказать, что она красивей одной, другой, третьей... перечислив ее собственных подруг, даже самая умная решит, что действительно самая красивая.

Ларри не стоит сравнивать с Гилгудом, Кауардом, Ричардсоном, Харрисоном... и всеми остальными. Нужно открыто говорить, что он лучший в мире! Оливье не будет отнекиваться или скромно пожимать плечами, его имени нет в скрижалях в списке самых скромных, Ларри точно знает, что он самый-самый. Даже самый-самый из всех самых-самых, даже «самей» себя самого! Вот предмет нынешней самой страшной зависти Лоуренса Оливье – зависть к самому себе.

Кого опережать, если ты впереди всех? С кем соперничать, если соперников больше нет? Остается соперничать с самим собой. Нелепо? Нет, не совсем, только у Лоуренса ни к чему хорошему не приводит.

Нельзя стараться быть лучше кого-то, это гордыня, нужно сегодня быть всего лишь лучше себя вчерашнего, хоть немного, хоть на чуть-чуть, хоть в чем-то, хоть одной мыслью, но лучше. Тогда рост бесконечен.

Актер Лоуренс Оливье тоже с каждой ролью лучше актера Лоуренса Оливье вчерашнего. Жаль, что только актера. Он играет каждый спектакль, каждый эпизод фильма, как последний, особенно если роль ему нравится. Беда в том, что нравятся Ларри не те роли. А еще от каждой гениальной роли в Ларри остается не просто что-то, а большой кусок, остается внутри, выжигая душу, потому что Лоуренс Оливье слишком часто и с удовольствием играет мерзавцев, для которых власть над миром важней всего.

Я осознала это, когда увидела его в роли Ричарда III еще в Австралии. Стало страшно, Ларри боялся потерять меня из-за моих приступов, но потерял из-за своей игры. По-моему, он и сам не может сказать, когда играет, а когда просто становится тем, кого играет. Наверное, это высшее достижение для актера, именно тогда актер становится гениальным и действительно самым-самым. Но как же страшно, если стирается граница между твоим мужем и мерзавцем, которого он играет!

Кажется, я поняла, почему у Ларри провальными оказались роли вроде Ромео и столь успешной роль горбуна Ричарда, хотя в начале карьеры он мечтал играть роли романтических героев. Просто внутренняя сущность Ларри противоречила сущности Ромео, а вот с Ричардом совпала.

Когда стал успешен Лоуренс, ведь его довольно долго не принимала сцена, несмотря на все усилия Джилл? Мне пришло

в голову проанализировать успешные и неуспешные роли Оливье. Получилось нечто не совсем приятное, действительно, роли тех, с кем рядом вовсе не хотелось бы жить, удавались не просто лучше, а великолепно. И успех к Ларри пришел тогда, когда он нашел свои роли, когда перестал стремиться создать королевскую пару английской сцены. Нужно быть объективной – и я, и Джилл просто висели у Ларри гирями на ногах, хотя вовсе этого не желали.

Оливье нужен простор личный, и горе тому, кто попытается этот простор ограничить даже невольно!

Поговорить с будущей леди Оливье? Зачем? Если она влюблена без памяти, как была я, то любые разговоры бесполезны. Если поступает осмысленно, тем более. Если Плоурайт сумеет стать рядом с Ларри никем, нарожать детей и всю оставшуюся жизнь играть одну-единственную роль – супруги великого Лоуренса Оливье, то она таковой останется. Ни Джилл, ни я не смогли не потому, что не пожелали бросить под ноги обожаемому Ларри свои собственные карьеры (в конце концов, обе бросили), а потому что сделать это были не в состоянии. Как актерский талант Ларри никогда не позволил бы ему работать просто клерком, так моя актерская натура не допустила служения божеству только в качестве домашней прислуги.

Джилл была Оливье равной и даже выше его тогдашнего и оказалась вынуждена разрушить все, чтобы спасти сына. Я не прислушалась к ее предупреждениям (да и не была в состоянии сделать это) и поверила словам Ларри о великой актерской паре – короле и королеве английской сцены, забывая, что, по его мнению, королева всего лишь домохозяйка с короной на голове, в лучшем случае оттеняющая сильного короля. Королевское равенство? Глупышка, плохо знающая историю!

Такого в людском обществе не бывало! Самая достойная королева – всего лишь приложение к королю либо королева-одиночка.

Но когда я уже была готова уступить трон и все права на королевство, выяснилось, что Ларри потерял интерес к моей кандидатуре в качестве половинки звездной пары.

С чем я осталась? Фрюэн когда-то говорил о высотах, что есть понятие нулевой высоты, то есть уровень Мирового океана, а есть отрицательной – впадины, не обязательно морские, могут быть просто ямы. Так вот я в яме, даже чтобы выбраться из нее, нужны неимоверные усилия. И попала я в эту яму не тогда, когда начались первые приступы или когда впервые попала в клинику к Фрейденбергу, а позже, когда с упорством, достойным лучшего применения, попыталась сохранить наш брак.

Зачем? Сохранить любовь Ларри? Но ее уже не было, и я прекрасно это понимала. Вернуть ее? Любовь невозможно вернуть, это следовало бы запомнить всем, это не птица Феникс, она умирает навсегда. Доказать, что я лучше других? Но ведь я не слепая и не настолько глупа, чтобы не видеть, что НЕ НУЖНА своему мужу, что у него другие планы в жизни, и дело не в Плоурайт, не она, так была бы другая. Ларри вычеркнул, «отменил» Джилл прежде, чем она родила Тарквиния, он также вычеркнул меня раньше, чем я оказалась на злополучных съемках на Цейлоне.

Зачем же продлевать агонию? Ларри, понятно, просто не мог порвать с больной женой, не потеряв при этом лицо, он должен был либо отправить меня в психушку навсегда, либо убедить всех, что жить со мной невозможно. Ни то ни другое очень долго не удавалось. Мне бы прервать эти старания, но я упорно цеплялась за надежду доказать, что наш союз предопределен судьбой и разрушать его нельзя. Почему? Да потому

что когда-то я все поставила на этот союз, бросив даже дочь, подчинив свою карьеру Ларри, подчинив ему саму жизнь. Крах союза с Оливье означал крах самой моей жизни!

И все же этот крах произошел. После стольких лет борьбы и жертв я осталась одна, вернее, без Ларри, а еще без денег – все заработки уходили на театральные постановки, без жилья – «Нотли» принадлежит Оливье, без здоровья – туберкулез, получивший «подпитку» при обкладывании льдом, больше не проходит, без ролей – Ларри никогда не допустит, чтобы я играла на лондонской сцене, без будущего – мне достаточно много лет, чтобы начинать сначала было поздно...

Но я не одна, у меня есть мама, Сюзанна, есть Ли, Мерривейл, есть настоящие друзья и подруги. А еще есть мои роли. Даже не вспоминая о Скарлетт, я все годы невольно черпала в этой роли жизненную уверенность. «Я не буду думать об этом сегодня. Я подумаю об этом завтра».

Директор «Олдвич» Бенталл предложил возглавить труппу, которая отправится на длительные гастроли в Австралию. Это очень кстати, потому что мне хочется уехать куда-нибудь подальше от всех, кто либо примется с любопытством разглядывать брошенную жену, либо сочувствовать. И то и другое невыносимо.

Мне позволили выбрать три пьесы по своему усмотрению, потому что в труппе в основном малоизвестные актеры. Я в качестве звездной приманки. Мерривейл, конечно, со мной. Хочу «Двенадцатую ночь», конечно, «Поединок ангелов» и еще «Даму с камелиями». Ларри ни за что не позволил бы мне сыграть Маргариту Готье, но теперь Оливье далеко, мне более не супруг, а потому я могу себе позволить все, что хочу!

Нет, не все, я никак не могу позволить провал, во-первых, потому что публика пойдет на мое имя, а значит, от моей игры зависит и успех всей труппы, подвести тех, кто мне поверил, никак нельзя, во-вторых, провал хоть одного спектакля окажется вообще провалом навсегда. Даже в Австралии за мной будут следить множество недружелюбных глаз, готовых из-за малейшей оплошности подвергнуть остракизму: «Ага!.. мы же говорили, что она лишь тень Великого Оливье!»

Глупо, будучи уже давно сложившейся актрисой с двумя «Оскарами», я вынуждена доказывать не то, что я чего-то стою, а что стою чего-то без Ларри, что я не тень Лоуренса Оливье. Причем в случае просто успеха будет поднят крик: «Австралия и Мексика – это не Англия, там публика не столь искушена!»

Именно потому я выбрала «Даму с камелиями», у которой невозможно приписать интерес к спектаклю только тексту, как в шекспировских пьесах. Время таких спектаклей прошло, риск провалить его был очень велик.

И все же мы начали репетиции...

Давно не писала, было просто некогда, сначала репетиции, а потом гастроли выдались очень напряженными, но удалось все!

А началось с идиотизма. Зря я надеялась, что репортеры в Австралии умней и меньше заточены на скандалы, по прилете нас ждала огромная статья местной журналистки Нэнси Спэйн о нашем с Лоуренсом Оливье разводе во всех деталях (даже таких, о которых не могла знать я сама). Я понимаю, что Спэйн – подруга Плоурайт, или, как она старательно подчеркивала, «новой миссис Оливье», но зачем же вывешивать грязное белье на всеобщее обозрение даже из дружеских чувств?

Всегда брезговала вот такими журналистами и репортерами, они из тех, кто, стоя внизу, пытается доплюнуть до тех,

кто выше, забывая об одном: все, что не долетит, вернется им в лицо. Говоря о «выше», я имею в виду не себя, а Ларри, ведь, сколько бы «подруга» ни сваливала вину за развод на меня, есть факты, которые все равно говорят против Оливье. Получалась нелепость – желая помочь Плоурайт, она вылила немало грязи на великолепного Лоуренса. Медвежья услуга, что ни говори.

Но Мерривейл и наш режиссер Хелпман забеспокоились, как бы очередная громадная порция помоев не ввергла меня в приступ.

– Не обращай внимания!

– Нет, почему же? Только зал придется поделить на две части.

– Какие еще части?

– Тех, кто придет посмотреть на живую Скарлетт, и тех, кто захочет увидеть брошенную Великим Лоуренсом Оливье жену. Как вы думаете, каких будет больше?

Турне прошло с успехом, все три пьесы были приняты хорошо. То ли местные зрители не читали грязную стряпню Нэнси Спэйн (кстати, я не удосужилась узнать, была ли она сама на наших спектаклях), то ли, как умные люди, потокам грязи не поверили. В меня не бросали тухлыми яйцами и не требовали, чтобы сумасшедшая англичанка убиралась домой. Да, и плакатов с шельмованием брошенной жены тоже не было, зрители просто смотрели спектакли, аплодировали, если нравилось, молчали, если не очень, но сиденьями стульев, покидая зал посреди спектакля, не стучали.

– Джон, узнай, пожалуйста, может, здесь просто не принято уходить в знак протеста? Может, австралийцы слишком вежливые?

Вместо ответа Мерривейл показал мне очередь за билетами:

— Как ты полагаешь, были бы на десятом спектакле полные залы, если бы на первых девяти люди с трудом высиживали до конца?

Мы начали выступать в июле прошлого года и закончили в марте этого. Я выдержала немалую нагрузку — восемь спектаклей в неделю и дополнительные представления под названием «приемы», на которые гости приходили явно из любопытства. Чего в этом любопытстве было больше — интереса к «живой» Скарлетт или все же к брошенной жене Лоуренса Оливье? О... улыбаться, когда на душе скребут даже не кошки, а тигры, я умела, Ларри меня научил.

Итак, гастроли в Австралии прошли успешно, я выдержала, не подвела ни труппу, ни Мерривейла, ни Хелпмана, ни моих добрых зрителей, ни себя саму.

Молодец, Вивьен, ты достойна называться настоящей актрисой безо всякой приставки с упоминанием Лоуренса Оливье!

Теперь предстоят гастроли в Южной Америке и Мексике. Жарко, тяжело, но мы выдержим.

За мной следом ездит Фарбман с уговорами сыграть в... мюзикле! Я, конечно, сумасшедшая, но несколько в ином разрезе. Петь на большой сцене в настоящем мюзикле перед настоящей публикой, а не друзьями, удобно расположившимися вокруг рояля у меня дома, — это похоже на сеанс электрошока. Первым ответом было: «Ни за что!»

Фарбман безумно настойчив, он забросал нас в Австралии телеграммами, на которые Хелпман просто не отвечал, делая вид, что мы не получали. Тогда продюсер прилетел в Сидней сам. Оля-ля! Так меня давно не осаждали.

— Я не буду петь, потому что не умею!

— Научим.

— Вы шутите? Мне не двадцать и даже не тридцать, у меня не та ситуация, чтобы с треском провалиться.

— Провала не будет! Вспомните Рекса Харрисона, он тоже не юн и не певец, но ведь справился...

Фарбман то напирал, как слон, всей мощью и силой, то уговаривал, льстя. В Австралии я отказалась, он отправился за мной в Мехико, а затем в Южную Америку. Перед такой настойчивостью устоять невозможно, но я решила сначала посоветоваться с друзьями в Америке, кому, как не бродвейским актерам, играющим мюзиклы, знать, выйдет ли что-то из такой задумки.

Если вспомнить, что партнером должен быть еще один певец-неумеха Жан-Пьер Омон, компания намечалась удивительная — безголосая, но весьма нахальная.

Для себя я решила, что, если у нас с Жаном ничего не получится на стадии самых первых «спевок», брошу затею и попрошу больше не напоминать.

Ларри счастлив со своей новой миссис, но к чему же в каждом интервью подчеркивать, что он сожалеет о моем недуге и о том, что нам пришлось расстаться? Зачем напоминать о болезни, о которой остальные, прежде всего я сама, хотели бы забыть? Но даже если не обращать внимания на меня, то к чему нервировать свою супругу, едва ли ей приятно слышать о сожалениях сэра Лоуренса.

Я правильно поступила, что уехала так далеко от Англии, в Лондоне Тайнен мне покоя не дал бы, я для него словно красная тряпка для быка. Хочется крикнуть:

— Мы уже не вместе, Ларри живет своей жизнью, и я ему не мешаю, к чему теперь-то меня травить?!

Но я молчу, нет, не молчу, я веду себя так, словно в моей жизни и не было этого самого кошмарного развода.

Спевки с Омоном удались, мы поверили в себя, к тому же поддержал и Рекс, который заявил, что петь не так страшно, главное, верно взять первую ноту, и его нынешняя жена Рейчел Робертс, и, конечно, Мерривейл – моя каменная стена.

В спектакле нужно не только петь, но и много танцевать.

Как это страшно – в таком возрасте решаться на эксперименты, да еще и певческие. Я же понимаю, насколько велик будет спрос и сколь строгое отношение публики и критики ждет меня. Стоит чуть не справиться, и критики выльют поток негодующих осуждений за все: что попыталась не повторить то, что уже создано в прежние годы, то есть при Ларри, за то, что не ушла в тень, не занялась лишь воспоминаниями, за то, что рискнула взяться за исполнение, которое под силу не каждому здоровому человеку, за то, что пою, вместо того чтобы плакать...

Пожалуй, последнее возмутит больше всего. Разведенная, фактически брошенная жена, больная женщина, актриса, о которой твердили, что всеми успехами обязана своему звездному мужу, не плакала в уголке, вспоминая прежнюю счастливую звездную жизнь, а... собиралась плясать и петь на Бродвее!

Риск неимоверно велик, а шанс провалиться сто к одному, но я рискну. Мерривейл убеждает меня, что нужно брать пример с Рекса Харрисона, который рискнул петь в «Моей прекрасной леди» и справился с задачей не хуже прекрасной Джулии Эндрюс, которая пела, как профессиональная певица. Спектакль имел грандиозный успех, поговаривали, что Кьюкор намерен снять фильм с тем же составом, которому тоже прочили успех.

Проблема в том, что Рексу Харрисону не противостоял Лоуренс Оливье. Я отдаю себе отчет, что в Англии против меня будет направлена вся мощь критической машины сторонников Лоуренса Оливье. Удивительно, что даже сейчас, когда мы раз-

ведены и я больше года отсутствую в Англии, Тайнен никак не успокоится, все доказывая и доказывая, что, будучи рядом со мной, ты оказывался вынужден играть вполсилы, чтобы меня не освистали.

Тайнен всегда найдет, за что обругать меня в угоду тебе, давать ему повод в Англии не хочется, я вынуждена выступать либо в далекой Австралии, либо в Латинской Америке, либо в США, где ты не властен над мнением публики и где критики не прислушиваются к мнению Лоуренса Оливье.

Если бы мне двадцать лет назад кто-то сказал, что я буду вынуждена уехать в Америку, чтобы иметь возможность играть без помех со стороны Лоуренса Оливье, я бы рассмеялась в лицо! Это нелепо, но это так.

Репетиции, репетиции, репетиции... Потом еще уроки танцев, конечно, вокал (если это можно так называть), снова репетиции. Конечно, трудно, мне не двадцать лет, чтобы половину спектакля просто скакать по сцене, но это жизнь, другой у меня нет, и я очень рада возможности сыграть что-то новое, доказать, что могу справиться и с физически нелегким спектаклем, и даже с вокалом!

На Бродвее нас приняли прекрасно – сначала актеры, потом публика. Помимо пения, в спектакле много танцев, пришлось потрудиться, что-то вспоминая, что-то осваивая заново. Физически тяжело, все же мне не двадцать, и я не слишком крепка здоровьем, но я справлюсь, я обязательно справлюсь, потому что на мне держится спектакль и еще потому, что должна доказать самой себе, что жива, несмотря ни на что – на развод и предательство Ларри.

Я справилась! Интересно, что на афишах и рекламных снимках я преимущественно в наряде прислуги – белый фар-

тучек и платье почти школьницы. Это нравится и репортерам, и зрителям.

Премьера состоялась 18 марта 1963 года. Обидно, что именно на следующий день состоялась забастовка печатников, и утренние газеты, которых мы так ждали, не вышли. Но полный зал говорил сам за себя. Аншлаг! Публику не испугали наши с Омоном не слишком хорошие певческие данные. За полным залом в первые дни последовали аншлаги еще больше четырех сотен раз!

Рядом со мной нет Ларри, зато есть Джон Мерривейл, а потому я ничего не боюсь, даже приступов. Джон Мерривейл не Лоуренс Оливье, ради своего спокойствия и имиджа не станет связывать меня и пичкать наркотиками, он постарается помочь. Джон не боится моих приступов, он надежен. У меня есть поддержка, и я не просто живу, а играю!

Ларри, сегодня мне сообщили о присуждении премии «Тони» за роль в «Товарище»!

Театральный «Оскар» за роль в мюзикле получила актриса, не имеющая музыкального образования! В этой пьесе не важна пресловутая красота, которой ты всегда оправдывал мои успехи, у меня давно нет твоей поддержки, в спектакле не понадобилось ничего из того, чему учил меня ты, упоминание о тебе было скорее помехой, чем помощью, я со всем должна была справиться сама, потому что даже Джон в это время оказался в Лондоне.

Ларри, я справилась! Больше четырех сотен показов и абсолютный аншлаг все вечера. Бродвей не просто принял новую Вивьен Ли, не только признал меня своей, Бродвей назвал в числе лучших!

Я возродилась, как птица Феникс, даже после поднесенного тобой факела к огромному костру из сырых дров, который ты

сложил у моих ног, предварительно крепко привязав к позорному столбу. Я жива, Ларри, не просто жива, но играю и буду играть. Я слышу бурю оваций по своему адресу в пьесах, к постановке которых ты не имеешь ни малейшего отношения.

Я сама чего-то стою и без Лоуренса Оливье, а значит, живу и буду жить, даже если это недолго, если мой организм не вынесет перегрузок.

Умереть на сцене, доказав самой себе, что я не приложение к гениальному Лоуренсу Оливье, а актриса Вивьен Ли!

За окном благословенный осенний дождь, которого все так ждали после страшной нью-йоркской жары, он колотит по окнам и крышам, шумит в листве деревьев парка. Но стоит закрыть глаза, и в шуме дождя слышится шум аплодисментов. Я могу себе позволить такую прихоть – слышать в звуке дождевых капель отзвуки восторга зрителей, заслужила это право.

Я состоялась, Ларри.

СОДЕРЖАНИЕ

В оформлении обложки использован кадр из фильма
«Gone with the Wind» («Унесенные ветром»),
1939 год: © Metro-Goldwyn-Mayer Studios / Entertainment Pictures /
ZUMAPRESS.com / Legion-Media

Во внутреннем оформлении использованы фотографии:

Metro-Goldwyn-Mayer Studios / Entertainment Pictures /
ZUMAPRESS.com / Legion-Media;

KEYSTONE Pictures USA / ZUMAPRESS.com / Legion-Media;
SNAP / Entertainment Pictures / ZUMAPRESS.com / Legion-Media;

SNAP / ZUMAPRESS.com / Legion-Media;

Globe Photos / ZUMAPRESS.com / Legion-Media;

Cinetext / Legion-Media;

Friedrich / INTERFOTO / Legion-Media;

Central Press / Getty Images / Fotobank.ru;

Keystone / Getty Images / Fotobank.ru;

FPG / Archive Photos / Getty Images / Fotobank.ru.

Литературно-художественное издание

УНИКАЛЬНАЯ БИОГРАФИЯ ЖЕНЩИНЫ-ЭПОХИ

ВИВЬЕН ЛИ
ЖИЗНЬ, РАССКАЗАННАЯ ЕЮ САМОЙ

Ответственный редактор *Л. Незвинская*
Художественный редактор *С. Курбатов*
Технический редактор *В. Кулагина*
Компьютерная верстка *Г. Ражикова*
Корректор *З. Харитонова*

ООО «Яуза-пресс».
109439, Москва, Волгоградский пр-т, д. 120, корп. 2.
Тел.: (495) 745-58-23, факс: 411-68-86-2253.

Сведения о подтверждении соответствия издания согласно законодательству РФ о техническом регулировании можно получить по адресу: http://eksmo.ru/certification/

Подписано в печать 28.01.2013.
Формат 70×90 1/16. Гарнитура «Baskerville».
Печать офсетная. Усл. печ. л. 18,67.
Доп. тираж 3000 экз. Заказ 564.

Отпечатано с готовых файлов заказчика
в ОАО «Первая Образцовая типография»,
филиал «УЛЬЯНОВСКИЙ ДОМ ПЕЧАТИ»
432980, г. Ульяновск, ул. Гончарова, 14

ISBN 978-5-9955-0465-8

9 785995 504658 >